THRAX

Couverture
- Conception graphique:
  KATHERINE SAPON
- Illustration:
  ODILE OUELLET

Maquette intérieure
- Infographie:
  MAURICE MURPHY
- Illustrations:
  ODILE OUELLET
- Cartes géographiques:
  CHRISTIANE LITALIEN

Conseiller littéraire
MARTIAL DENIS

Équipe de révision
Anne Benoit, Patricia Juste, Jean-Pierre Leroux,
Linda Nantel, Paule Noyart, Normand Paiement,
Robert Pellerin, Jacqueline Vandycke

DISTRIBUTEURS EXCLUSIFS:

- Pour le Canada:
  AGENCE DE DISTRIBUTION POPULAIRE INC*
  955, rue Amherst, Montréal H2L 3K4 (tél: 514-523-1182)
  * Filiale de Sogides Ltée

- Pour la France et autres pays:
  INTER-FORUM
  13, rue de la Glacière, 75013 Paris (tél: (1) 43-37-11-80)

- Pour la Belgique et autres pays:
  S. A. VANDER
  Avenue des Volontaires, 321, 1150 Bruxelles
  (tél: (32-2) 762.98.04)

MICHEL GUAY

THRAX

L'AVENTURE DES CAVALIERS THRACES

Roman

le jour, éditeur

Données de catalogage avant publication (Canada)

Guay, Michel, 1943 -

Thrax

Pour les jeunes

2-89044-379-5

1. Maximin, empereur romain, m.238 – Romans pour la jeunesse.
I. Titre

PS8563.U29T47 1987 jC843'.54 C870961799

PS9563.U29T47

PQ3919.2.G82T47 1987

Bibliothèque nationale du Québec
Dépôt légal — 2e trimestre 1987

ISBN 2-89044-379-5

À mes deux enfants, Jean-François, 19 ans, et Isabelle, 15 ans. À travers eux, je dédie ce livre à tous les passionnés de l'histoire ...

Note de l'auteur

Ce récit historique comporte six grands épisodes qui présentent au lecteur quelques grands moments caractéristiques de l'histoire de l'ancienne Thrace:

- l'époque des chasseurs;
- les agriculteurs et la métallurgie;
- les cavaliers thraces et la guerre de Troie;
- les colonies grecques sur les côtes de la Thrace;
- l'époque des Perses, puis du royaume thrace des Odryses;
- les débuts de la présence romaine en Thrace.

À travers les diverses aventures des personnages qui animent le récit, c'est le monde tumultueux et rude des guerriers thraces qui est raconté. Le lecteur y découvrira la société thrace, avec sa vie matérielle simple, ses coutumes parfois déroutantes, ses croyances dominées par la nature et son passé plusieurs fois millénaire évoluant au rythme des tempêtes incessantes de l'histoire.

C'est un monde d'hommes, où les femmes sont soumises à un régime patriarcal et polygame pénible et oppressif. C'est un monde de violence, où les activités guerrières vont de pair avec le morcellement tribal et clanique des anciens Thraces. C'est un monde de richesse, où brillent l'or et l'argent qui font le luxe des chefs et des rois.

Peuple sans écriture, les Thraces n'en dominent pas moins l'histoire de cette Europe du sud-est, si souventes fois oubliée.

La plupart des personnages sont fictifs, exception faite de ceux directement issus de la documentation historique (Thrasybule, Darius, Miltiade, les rois odryses, Perdiccas, Marcus Livius Drusus, Lentulus Baliatus), et de ceux tirés de l'*Iliade* d'Homère. À compter de l'apparition historique des cavaliers thraces, les noms utilisés dans le récit sont authentiques. Les divers épisodes font appel à des contextes historiques réels dont le lecteur trouvera les détails en consultant les ouvrages historiques sur la Perse, la Grèce et Rome. Il trouvera ci-après un tableau chronologique ainsi qu'un «mini-glossaire» qui guidera sa lecture.

Repères chronologiques

*Note: Nous avons inscrit en gras, à l'époque où ils auraient vécu, les noms des personnages fictifs dont les aventures sont racontées dans le livre. Les noms des personnages historiques figurent en caractères ordinaires.

Avant Jésus-Christ

6000... Début du néolithique et de l'époque des agriculteurs.
5000... **Époque de Vatra, le chasseur.**
3200... **Époque d'Issala** et du métal (cuivre et or). Trésor de Varna.
1310... Époque des cavaliers thraces, **de Rumalia et d'Héra.**
1280... Participation du Thrace **Sadalas** à la guerre de Troie.
600... Colonies grecques sur le littoral thrace de la mer Noire (Pont-Euxin): **Acamas et Hippias.**
514... Campagne de Darius, roi des Perses, contre les Scythes.
495... Miltiade, roi de Chersonèse, fuit les Perses à Athènes.
494... Les Perses rasent la ville de Milet.
490... Bataille de Marathon.
480... Bataille de Salamine.
470... Térès fonde le royaume thrace des Odryses.
470 – 440... Règne de Térès.
465... **Kotys raconte ses exploits.**
454 – 413... Perdiccas II, roi de Macédoine.
440 – 424... Règne de Sitalcès, fils de Térès.
429... Raid de Sitalcès contre la Macédoine: **Médocus.**
424 – 410?... Règne de Seuthis Ier, neveu de Sitalcès.
383 – 359... Cotys, dernier roi thrace régnant sur un royaume odryse unifié.
382 – 336... Philippe II, roi de Macédoine.
343/342.. Philippe II s'empare du royaume des Odryses et le transforme en province macédonienne.

356 – 323… Alexandre le Grand, roi de Macédoine.
306…Lysimaque, l'un des généraux d'Alexandre, se fait proclamer roi du royaume des Odryses.
300… Nombreuses révoltes chez les Odryses et fondation par Seuhis III d'un petit royaume indépendant.
278 – 216… Invasions des populations celtes et instauration du royaume celte en Thrace.
167… Rome occupe la Macédoine qui devient province de l'Empire en 147.
147 – 27… Soumission graduelle de la Thrace aux Romains.
100… **Tauricès, le gladiateur thrace.**
27 – 14… Avec Auguste, l'ancien royaume des Odryses devient un État client de Rome.

Après Jésus-Christ

46… La Thrace devient une province de l'Empire romain.
300 – 400… Mouvements d'invasions germaniques.
Après 500… Arrivée des populations slaves.
681… Fondation du royaume de Bulgarie.

Glossaire

Atrium: Pièce centrale d'une maison romaine. Elle est à ciel ouvert et, tout autour, sont disposées les autres pièces de la maison.

Bendidaïn: Bendis, pour les Grecs. Elle est la déesse thrace de la nature et de la fertilité. Son culte est lié à celui de la Déesse-Mère.

Décurion: Chef d'un groupe de dix soldats dans l'armée romaine.

Héros: Divinité thrace par excellence. Dieu protecteur des chasseurs et des guerriers, Héros est une divinité de l'au-delà et de l'immortalité. Il incarne les forces vives de la nature.

Himation: Vêtement masculin chez les Grecs. Il s'agit d'une longue pièce d'étoffe recouvrant tout le corps, et dont l'un des bouts est rabattu sur l'épaule gauche.

Hoplite: Fantassin grec armé d'une armure, d'un casque et d'un bouclier en bronze. Il utilise une longue lance et un glaive. Il est le principal artisan des victoires grecques contre les Perses à Marathon et à Salamine.

Ludus: École de formation pour les gladiateurs romains. C'est au ludus de Capoue, dirigé par Lentulus Baliatus, qu'a été formé Spartacus, le fameux gladiateur thrace.

Pelta: Bouclier thrace en forme de croissant de lune. Il constitue l'armement du **peltaste**, fantassin thrace, muni également d'une javeline.

Phiale: Vase en métal (or ou argent) en forme de bol, servant principalement aux libations rituelles.

Rhyton: Vase à boire en argent, généralement plaqué or, très populaire chez les Grecs, puis chez les Thraces. Il a la forme d'une corne, et sa pointe représente un buste d'animal (chèvre, cerf ou cheval) ou de divinité. Le buste est percé d'un trou afin de laisser couler le contenu du récipient.

Triclinium: Pièce servant de salle à manger et de réception chez les Romains. On y trouvait les lits-divans sur lesquels les invités prenaient place.

Tyran: Titre politique porté par les chefs de nombreuses cités grecques aux environs du VIIe siècle avant notre ère.

L'univers thrace aux IIIe et IIe millénaires av. J.-C.

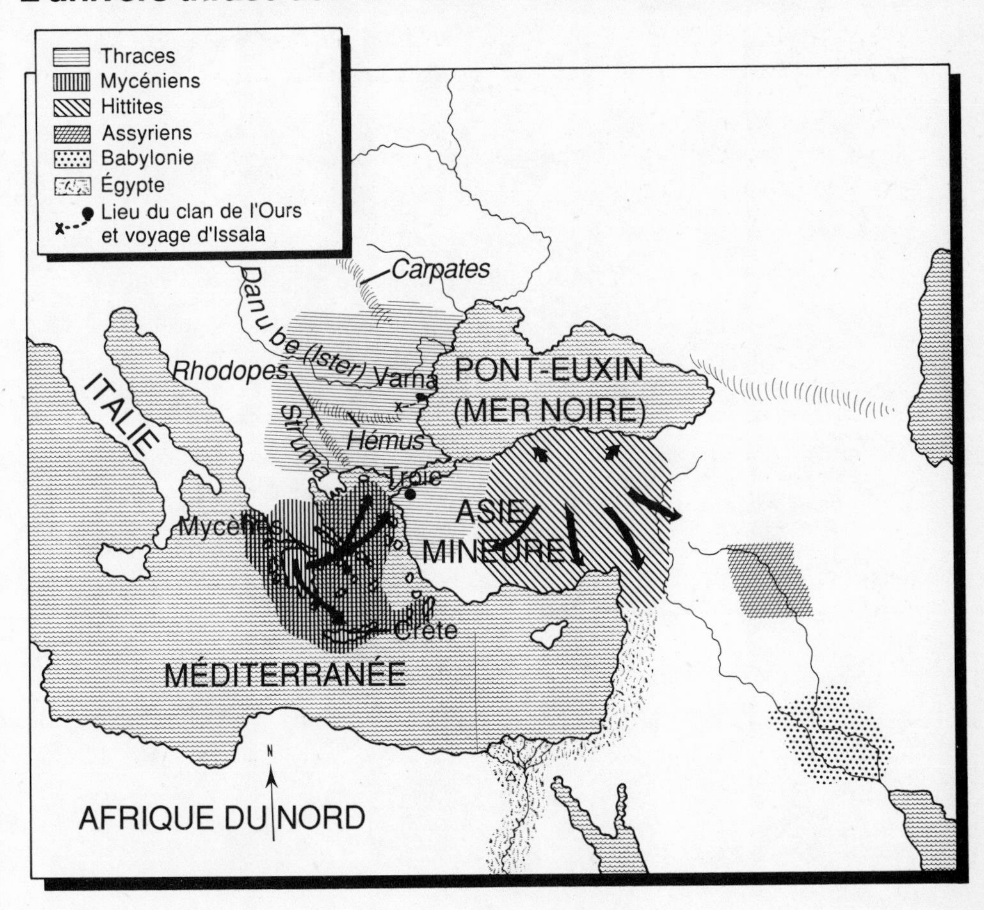

Le monde d'Acamas, de Kotys et de Médocus (fin du VIe siècle av. J.-C.)

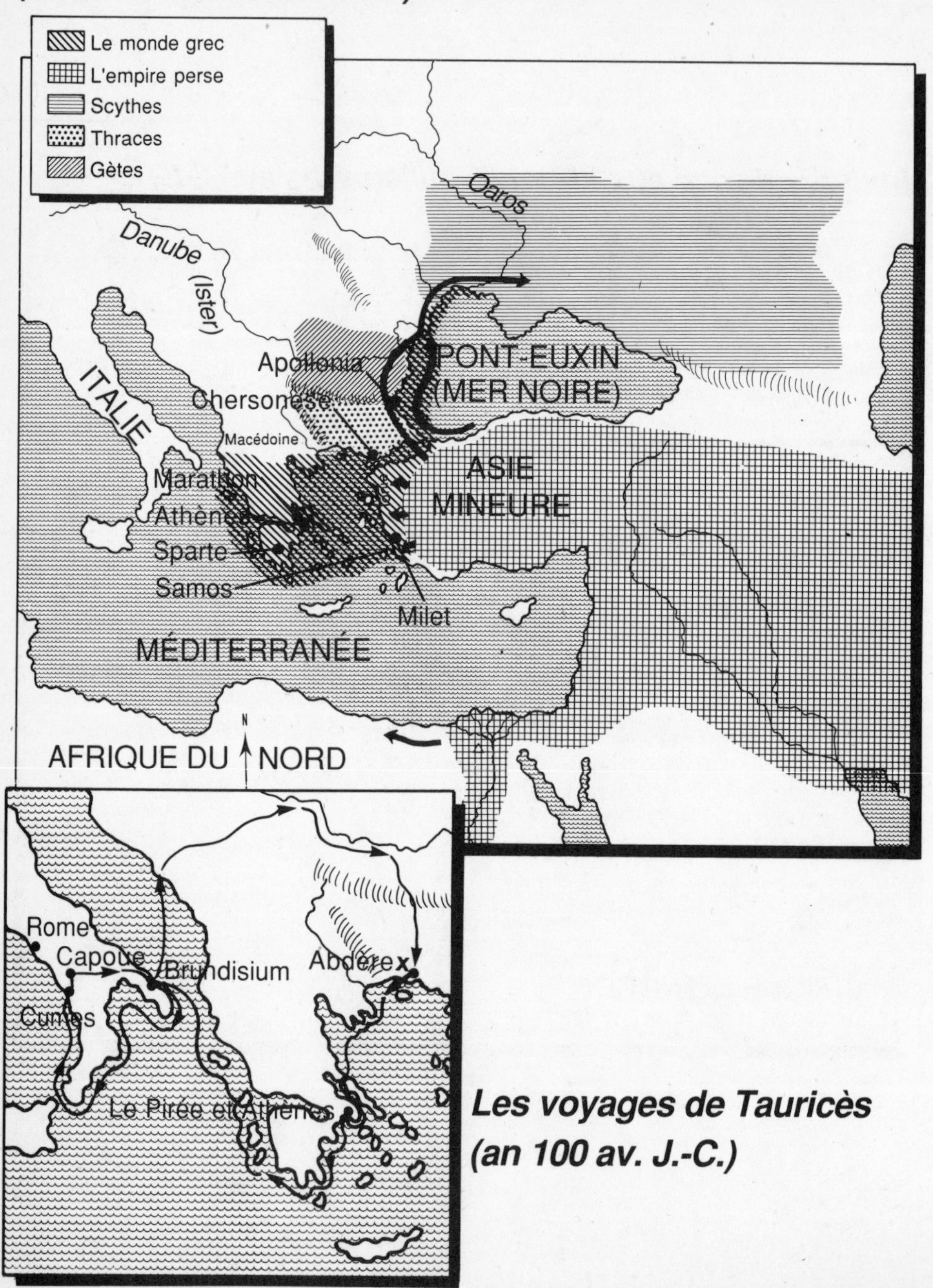

Les voyages de Tauricès (an 100 av. J.-C.)

PREMIÈRE PARTIE

Le clan de l'Ours noir

CHAPITRE PREMIER

Pour la première fois, Vatra revenait les mains vides. Lorsque les enfants le virent surgir de la forêt, les plus jeunes s'élancèrent vers la hutte principale du petit village pour annoncer la nouvelle à l'Ancien. Les plus âgés traversèrent en sautillant le ruisseau qui encerclait presque totalement les frêles habitations de branches et de roseaux. En moins de deux, ils étaient sur les talons du chasseur. Vatra aimait raconter ses prouesses, et les enfants l'écoutaient toujours avec beaucoup de respect, muets d'admiration, leurs yeux ravis s'écarquillant au récit de celui qu'on appelait le maître de la chasse. Mais cette fois, Vatra s'esquiva, le regard fuyant. D'un pas ferme, il traversa les bosquets de la clairière, faisant mine d'ignorer les enfants.

«Tu n'as rien pris?» questionna l'un d'eux.

Vatra poursuivit son chemin en silence, plongé dans ses pensées. Il avait éprouvé, ces derniers mois, un sentiment de malaise. Et il ne comprenait pas. La forêt ne dispensait plus ses biens avec autant de largesse. Pourtant, Ours noir, l'ancêtre du clan, avait toujours répondu favorablement à leurs danses de la chasse. Malgré cela, depuis la dernière lune, les sangliers avaient déguerpi sans laisser la moindre trace. Même les cerfs, dont les bois majestueux servaient à fabriquer des pointes de flèches et des amulettes, s'étaient volatilisés. Combien de fois avait-il failli revenir les mains vides comme aujourd'hui? Vatra était troublé. Ce soir, il n'y aurait pas fête au village. Il faudrait puiser dans les maigres réserves. Et comment expliquer que ce n'était pas sa faute!

Accompagné des enfants, Vatra atteignit les premières huttes et s'y arrêta. L'Ancien se dressait tout d'un bloc, l'air soucieux. De son épaisse chevelure grise émergeait un visage flétri par le temps. Vatra comprit que l'inquiétude régnait parmi les siens. Le vieillard leva lentement le long bâton de chêne qu'il serrait de sa main gauche, symbole de son autorité. Puis, scrutant la mine grave de Vatra, il dit, d'un ton qui masquait mal son angoisse: «Le Seigneur de la forêt nous a abandonnés!

— Peut-être qu'un sacrifice...»

Vatra ne put continuer. L'Ancien frappa le sol rocailleux de son bâton et se dirigea ensuite vers le centre du village. Il souleva son manteau fait de peaux de loup assemblées et monta sur une pierre rectangulaire recouverte d'une natte de roseaux. Les vingt adultes du clan, ainsi que les enfants, se rassemblèrent autour du vieillard. Ils pressentaient l'annonce d'une nouvelle importante. La pierre incarnait le lieu de la Sagesse, l'endroit où l'Ours noir revenait parfois s'adresser, par la bouche de l'Ancien, aux hommes qu'il avait jadis engendrés. Combien de fois, lors des grandes danses du printemps ou de l'automne, Ours noir leur avait-il prêté secours, lui qui vivait toujours près des rivières et des torrents, symboles de l'éternité des êtres!

«Vatra est un bon chasseur, lança l'Ancien d'une voix un peu rauque, mais solennelle. C'est l'Esprit de la forêt qui est mauvais. Il y a bien longtemps, lorsque je n'avais que quelques lunes, Ours noir nous avait emmenés dans cette clairière, car l'Esprit de la montagne où nous habitions avait cessé de nous donner le cerf et le renne. Maintenant, la forêt se dresse contre nous. Il nous faut partir au lever du soleil.

— Pourquoi si tôt? demanda Missa, l'une des compagnes de Vatra. Demain, nous ferons une offrande à l'Ours noir et il nous entendra.

— L'Ancien a raison, ajouta alors Vatra. Sans les animaux, nous ne pourrons tenir le coup bien longtemps. Que peut une flèche sans sa cible? Oui, l'Ancien a raison.»

Au lever du jour, Vatra se glissa hors de la hutte pour superviser les préparatifs du départ. Personne ne contesta la décision de l'Ancien.

Mais abandonner la clairière qui avait si longtemps apporté sécurité et nourriture représentait une dure épreuve. Certes, la mobilité faisait partie du mode de vie des chasseurs. Cependant, ils commençaient à apprécier les avantages d'un campement plus stable, d'un environnement de plus en plus familier, d'une vie en harmonie avec la forêt dont ils connaissaient les recoins les plus secrets. Pourquoi se montrait-elle aussi cruelle?

Il faisait déjà grand jour lorsque la petite troupe s'engagea dans la forêt. L'été était chaud et humide. Comme les arbres emprisonnaient encore la fraîcheur du matin sous leur dôme de feuilles, Vatra et les membres du clan transportaient sans grand effort leur maigre bagage: les peaux qui leur servaient de couche, les couteaux et les racloirs de silex, les arcs et les flèches ainsi que les sacs de morceaux de viande séchée. C'étaient là toutes leurs réserves pour les jours d'hiver, lorsque le vent et la neige obligent les chasseurs à se blottir près du feu.

Les enfants, insouciants, prenaient plaisir à cette promenade inattendue vers l'inconnu. L'Ancien envisageait l'expédition d'un oeil bien différent. Il avait choisi cette route de la forêt parce qu'un jour, il avait entendu le rugissement d'une rivière. S'établir près d'un point d'eau s'avérait indispensable, car il espérait ainsi résoudre les deux problèmes qui le tracassaient depuis le départ: l'eau et le gibier.

*

Après une première journée de marche, le clan de l'Ours noir se trouvait fort loin de son but. Depuis la clairière, la petite troupe avait traversé une région de petites collines couvertes d'arbres et sillonnées de vallées assez profondes. L'Ancien commençait à douter de l'itinéraire, même si tous entendaient distinctement le tumulte de la rivière. Mais, tel un renard qui se joue habilement du chasseur, elle semblait se cacher des hommes, réservant son mystère aux plus audacieux.

On monta rapidement un camp de nuit; quelques branches bien garnies de feuilles servirent à ériger des abris de fortune. Les environs paraissaient peu accueillants. Les membres du clan s'étaient installés sur le versant d'une colline, à l'abri de grands ormes. Rien, sauf de grands feux, ne pouvait les protéger contre les fauves qui rôdaient la nuit.

«Que les femmes allument les feux», ordonna l'Ancien.

Les hommes, leur couteau de pierre à la main, s'installèrent près des flammes. Ourtal, ami de Vatra, que tous surnommaient Oeil de faucon, s'approcha du feu où se tenait l'Ancien. Homme de petite taille mais d'une surprenante agilité, Ourtal avait un jour échappé à une meute de loups. Il avait franchi d'un bond une crevasse de plus de dix pas. Peu importe si, ce jour-là, personne n'avait cru en son exploit! Au moins, Vatra lui prêtait une oreille amicale...

«Eh! l'Ancien, lança Ourtal qui venait d'observer un phénomène étrange. Regarde vers la vallée. Vois-tu cette lueur là-bas, au fond, du côté où le soleil se lève?»

Les hommes qui se rassemblaient autour du feu firent silence. Puis, ils se redressèrent brusquement et s'éloignèrent de quelques pas de la lueur éblouissante des flammes. Chacun scruta alors la pénombre, cherchant au loin un point lumineux.

«Le voilà, s'écria Ourtal, près de l'horizon. Ça ressemble à une étoile.

— On dirait un feu comme le nôtre, rétorqua Vatra.

— Dans cette région, c'est impossible, affirma l'Ancien. Ours noir évoque les clans et les hommes du sud, vers la Grande Eau, mais pas de ce côté-ci! C'est sûrement un feu du ciel.

— Les feux du ciel courent sur le sol, répliqua Vatra. Celui-là brûle sur place, comme nos propres feux!»

L'argument de Vatra laissa l'Ancien songeur. Ours noir n'avait jamais prétendu qu'il n'y avait personne au levant. Le feu qu'il voyait scintiller au loin était-il allumé par des hommes? Que faire alors? Poursuivre sa route vers ces inconnus et risquer la vie des enfants d'Ours noir? La longue expérience de l'Ancien ne lui était guère utile, car il n'avait jamais rencontré d'autres hommes auparavant. Pour la première fois, il frissonnait d'inquiétude devant l'inconnu. Et le moment était peu propice à l'aventure: les réserves diminuaient rapidement et la seule route ouverte se dirigeait vers ce feu.

La nuit se déroula sans incidents. Des loups avaient tenté à quelques reprises de s'approcher du campement, mais les feux avaient su les tenir à distance. Vatra et Ourtal s'étaient endormis côte à côte près du feu. Dès les premières lueurs de l'aube, annoncées par les cris stridents des oiseaux, Vatra, déjà éveillé, secoua énergiquement son compagnon.

«Ourtal, lève-toi! Viens avec moi!»

L'ami de Vatra ouvrit avec peine les paupières et, voyant son compagnon s'agiter, sauta sur ses pieds, ramassant d'une seule main son arc et son carquois.

«Allons voir l'Ancien, dit alors Vatra. Il nous faut éclaircir l'énigme du feu.»

Les premiers rayons du soleil caressaient les rares nuages étalés dans l'immensité du ciel. La petite troupe reprenait vie. Les uns ranimaient un feu en jetant des brindilles sèches sur des cendres encore fumantes; les femmes vidaient les sacs de provisions de leurs derniers morceaux de viande et les distribuaient en parts égales à chaque membre du clan. Les enfants, plus matinaux, s'étaient éloignés du campement temporaire et revenaient maintenant les mains débordantes de framboises sauvages.

«Je pars en éclaireur, lança Vatra en s'approchant de l'Ancien. Ourtal m'accompagne.»

Le compagnon de Vatra fit un signe d'approbation, et l'Ancien hocha la tête: «Allez de l'avant. Nous suivrons vos pistes jusqu'à la dernière colline et nous y attendrons votre retour.»

Vatra et Ourtal se mirent aussitôt à dévaler la colline qui menait directement à la rivière. Au fond, devant eux, se dressait un imposant massif d'érables et de bouleaux. Les deux chasseurs se proposèrent d'atteindre la rivière, puis d'en suivre le cours qui semblait conduire au mystérieux feu repéré la veille.

Arrivés près des premiers bouleaux, les deux hommes s'arrêtèrent puis, avec prudence, s'engagèrent dans la forêt. Au fur et à mesure qu'ils progressaient, le grondement se faisait de plus en plus assourdissant. Soudain, Ourtal saisit l'avant-bras de son compagnon et lança d'une voix étouffée, le doigt pointé vers le torrent: «Ne bouge plus et regarde la masse noire au milieu de l'eau.»

Pendant quelques instants, les deux hommes demeurèrent immobiles, accroupis derrière les arbres à la lisière de la forêt. La bête avait flairé quelque chose; elle se redressa brusquement sur ses pattes arrière en jetant un regard menaçant vers l'endroit où se dissimulaient les intrus.

«C'est Ours noir, s'exclama Vatra. Il est venu nous indiquer la route.»

CHAPITRE 2

Pendant quelques instants, les deux hommes demeurèrent sur le qui-vive, le souffle coupé, mais réjouis de cette rencontre aussi fortuite que réconfortante. Vatra se souvint alors des paroles de l'Ancien qui racontait comment Ours noir donnait parfois signe de vie pour porter secours à son clan. Stimulés par cette apparition, ils décidèrent de laisser l'animal à sa pêche. Ils s'engagèrent résolument le long du torrent.

La route fut longue et difficile. Les deux hommes sautaient parfois d'une pierre à l'autre dans le torrent même, tant la vallée était étroite. Parfois encore, un arbre mort obstruait la voie et ils devaient alors le contourner, pénétrant dans la forêt dense. Au terme d'une demi-journée, le torrent les conduisit jusqu'à une large plaine, qui s'étendait sur plusieurs jours de marche vers le levant. Une longue nappe bleue en couvrait la partie centrale. Mais ils avaient surtout noté la présence de deux ou trois colonnes de fumée du côté sud de la nappe d'eau. Voilà qui dissipait les doutes de Vatra et d'Ourtal: il s'agissait bien de feux allumés par des hommes.

Le torrent s'était graduellement transformé en rivière qui s'étirait paresseusement à travers la plaine couverte de grandes herbes. Des canards apparaissaient çà et là, déroutés par le passage des deux chasseurs. Vatra ouvrait la voie, écartant sur son passage les grandes tiges vertes qui ondulaient doucement sous le vent. Ourtal, qui marchait sur les traces de son compagnon, tendait l'oreille, à l'affût du moindre bruit. Les grandes herbes s'ouvrirent sur une plage de sable blanc très fin. Un lac magnifique étalait ses eaux miroitantes. L'endroit était paradisiaque. La région devait abonder en gibier à cause de la présence du lac et de la rivière. «Un refuge idéal pour Ours noir», pensa Vatra.

Il n'eut guère le temps de poursuivre sa réflexion. Faisant irruption de nulle part, une trentaine d'hommes se pressèrent subitement autour des deux chasseurs. Surpris, Vatra recula d'un pas, prêt à bondir. Il ne put s'empêcher de noter leur allure étrange: ils ne portaient pas de peaux comme lui, mais avaient les hanches couvertes d'une pièce de tissu. Dépourvus d'arcs et de flèches, les hommes pointaient sur eux une longue tige de bois surmontée d'une lame de pierre finement aiguisée. Le visage rasé, ils n'affichaient pas l'âpre physionomie caractéristique des chasseurs de son clan. La surprise passée, les hommes invitèrent Vatra et Ourtal à se placer devant eux le long de la plage. Après un instant d'hésitation, les deux hommes s'exécutèrent. Le groupe marcha quelque temps sur le sable chaud, puis déboucha dans une sorte de cuve formée par la plage alors qu'elle s'élargissait vers l'intérieur des terres. À quelque cinq cents pas environ, se dressaient d'imposantes habitations carrées, alignées en trois demi-cercles. Une ribambelle d'enfants couraient sur la plage. À la vue des étrangers, ils interrompirent leurs jeux. Quelqu'un se mit à battre du tambour et aussitôt, hommes, femmes et enfants s'agglutinèrent près de la troupe et de leurs «visiteurs».

Vatra prêta immédiatement attention à l'homme qui portait un imposant collier de coquillages et qui se dirigeait vers lui d'un pas décidé. À courte distance du chasseur, l'homme fronça les sourcils, puis interpella Vatra dans un langage que ce dernier comprit difficilement. Il avait cependant saisi le mot «chasseur».

«Je suis chasseur, enchaîna Vatra en se frappant fièrement la poitrine. Maître chasseur. Je suis Vatra et lui, c'est Ourtal.

— Je suis Arista», continua l'homme. Et d'un grand geste de la main, il ajouta: «Venez! Nos maisons sont là-bas.»

La méfiance qui avait gagné les uns et les autres au moment de la rencontre sur la plage se dissipa. Elle fit place à la curiosité et aux tentatives de rapprochement. Tant bien que mal, Vatra réussit à exposer le but de son voyage alors que les autres, considérant l'Aigle comme leur ancêtre, firent partager aux inconnus leur intérêt pour le travail de la terre. Ils se disaient agriculteurs, même si Vatra et Outral ne saisirent pas tout à fait le sens de ce mot nouveau. Ce qui les fascina au plus haut point, ce furent les habitations. Elles étaient construites à l'aide d'une structure de bois qui supportait un toit de chaume à pignon. Vatra et Ourtal s'émerveillaient devant des demeures aussi hautes et spacieuses! Derrière les habitations, les visiteurs découvrirent une vaste étendue de terre, libre d'arbres et d'herbages. Des hommes et des femmes y travaillaient; ils retournaient minutieusement le sol tout en évitant d'abîmer les plantes qui y poussaient déjà. L'instrument qu'ils utilisaient pour leur travail était inconnu des chasseurs. Il attira immédiatement la curiosité de Vatra. Il s'agissait d'un outil fait d'un manche de bois rond, au bout duquel était fixée, à l'aide de cordes, une pierre allongée et rectangulaire. Taillée en forme de biseau à l'une de ses extrémités, la pierre de granit noir permettait de briser sans grand effort la surface durcie du sol et même de fendre le bois. Voilà, du moins, l'idée qui se dégageait des propos du volubile Arista, qu'écoutaient de toutes leurs oreilles Vatra et Ourtal.

*

Pendant ce temps, sur la dernière colline qui dominait le torrent découvert par Vatra et Ourtal, le clan de l'Ours noir suivait scrupuleusement les traces qu'ils avaient laissées. Comme convenu, tous attendaient le retour des deux éclaireurs. Mais déjà une nouvelle nuit s'annonçait, porteuse d'embûches et de mystères. L'Ancien levait régulièrement les yeux vers le ciel, constatait que le soleil poursuivait sa course lente et inexorable vers le couchant. Plus il déclinait vers l'horizon incendié de lueurs orange, plus l'inquiétude gagnait le groupe.

Missa, grimpée à mi-hauteur d'un érable, fut la première à voir quelque chose bouger au loin, dans les grandes herbes. Un cri aigu retentit au milieu du fracas du torrent. Sans perdre une seconde, Missa sauta sur le sol et s'écria: «C'est Vatra! Il est revenu!

— Je reconnais son signal, lança un chasseur.

— Que tout le monde se tienne prêt», ordonna l'Ancien.

À nouveau le cri résonna mais, cette fois, il semblait venir du torrent. Une certaine frénésie s'empara du groupe, chacun se précipitant à la rencontre du maître chasseur.

DEUXIÈME PARTIE

Issala et le mystère des pierres jaunes

CHAPITRE PREMIER

«Lorsque le Grand Vatra se pencha des hauteurs et vit que la terre était verte, il quitta sa demeure céleste et s'installa parmi les hommes. Il ordonna aux hommes de l'Ours noir de creuser le sol et de tracer de longs sillons. Une fois ce travail terminé, il leur confia le secret des plantes. Les hommes de l'Ours noir déposèrent alors dans les sillons les graines que leur avait données le Grand Vatra et celui-ci commanda de fortes pluies.»

Tallia s'interrompit un court moment, puis respira à fond, soulevant sa poitrine juvénile que laissait entrevoir la tunique de lin fin qui l'enveloppait jusqu'aux chevilles. Autour d'elle, assis sur le sol de terre battue de la Maison de Vatra, les hommes et les femmes du village, également vêtus d'une longue tunique blanche, attendaient que la jeune femme poursuive le récit du Seigneur de la terre. Elle resta songeuse un instant puis, d'une voix posée, enchaîna:

«Six jours passèrent. Alors, comme l'avait promis le Grand Vatra, le sol s'ouvrit et les jeunes pousses se mirent à sortir de la terre. Le Grand Vatra enseigna ensuite aux hommes de l'Ours noir tous les métiers: celui de pasteur, afin qu'ils reconnaissent les animaux utiles; celui de tisserand, afin qu'ils tissent leurs propres vêtements; celui de potier, afin qu'ils fabriquent les plus beaux vases. Et avant de retourner vers les cieux, il apprit aux hommes de l'Ours noir comment conserver le grain et fabriquer la farine.»

À nouveau, le silence régna à l'intérieur de l'habitation sacrée où, selon la tradition, avait séjourné le Grand Vatra. Modeste mais spacieuse, cette demeure ne comportait qu'une salle où, périodiquement, les gens du village se réunissaient, comme en cette première journée d'automne consacrée au Seigneur de la terre. Chaque étape des travaux agricoles, des semailles du printemps aux récoltes de l'automne, faisait l'objet de rituels, associant le Grand Vatra au cycle naturel de la terre nourricière. Tallia se tourna vers le centre de la pièce où une pierre noire, rectangulaire et taillée en biseau à l'une de ses extrémités, reposait sur un petit banc de bois. Tout autour, des gerbes de millet fraîchement coupées avaient été soigneusement déposées. Tallia s'approcha de la pierre noire et la souleva délicatement. À son contact, elle sentit son corps se dilater, transporté par l'âme même de Vatra. Elle ferma les paupières, savourant la fierté d'avoir été désignée pour les fêtes de cette année. Elle se dirigea vers la sortie, portant bien haut l'objet vénéré de tous. Au même instant, les femmes ramassèrent les gerbes qui avaient servi d'offrande et se placèrent derrière celle que les gens du village avaient désignée pour être l'épouse du Grand Vatra.

À l'extérieur, la fête du grain allait bientôt commencer. Les habitants du village se regroupèrent devant la Maison de Vatra, autour du tas de bois sec ramassé par les enfants depuis le matin. Tallia franchit à pas lents et mesurés la courte distance qui la séparait de la foule, portant la pierre fétiche que le Grand Vatra avait laissée aux hommes. Lorsque la jeune femme s'arrêta, ses compagnes se rapprochèrent du tas de bois et y jetèrent les gerbes de millet. Amourtal, chef du clan de l'Ours, vêtu d'un simple pagne blanc, le corps couvert de dessins géométriques peints en rouge, s'avança à son tour et lança d'un geste énergique un tison enflammé sur les offrandes. Les flammes jaillirent et consumèrent le sacrifice des hommes à la divinité. Une épaisse fumée grise s'éleva vers le ciel. Tallia récita la longue litanie de l'offrande du feu.

«Puisses-tu recevoir ce présent que tes enfants t'offrent...»

*

De l'autre côté du village, près de la palissade dressée pour décourager les maraudeurs, Issala scrutait attentivement la prairie qui s'étendait jusqu'à la rivière qui se jetait dans la Grande Eau du levant, à deux jours de marche. Ses compagnons avaient cru apercevoir des mouvements inhabituels sur la rivière peu avant que Tallia sorte de la maison sacrée.

«Nous devrions avertir les autres, suggéra l'un d'eux.

— Ce n'est pas la peine, répliqua Issala. Il n'y a plus personne maintenant. Les embarcations ont dû simplement suivre la rivière vers l'est.

— Ouvre-moi la porte, répliqua le premier. Je vais y aller pour me rassurer.»

Issala fit glisser la pièce de bois qui bloquait la trappe de sortie. Le compagnon d'Issala se faufila dans l'étroite ouverture, empoignant fermement son arc. Avant même qu'Issala ne referme la trappe, il entendit une clameur rageuse. D'un coup violent, la trappe se rouvrit, le projetant sur le sol. Sa tête heurta une pierre et il ne put se relever. Vifs comme l'éclair, les hommes de Tauria donnèrent l'assaut, franchirent la palissade, et tuèrent sans merci à coups de lances les compagnons d'Issala qui tentaient désespérément de leur bloquer le passage. Écrasés sous le nombre et par la férocité peu commune des assaillants, les deux derniers défenseurs s'écroulèrent, mortellement atteints.

Tauria et ses hommes agissaient avec précision. Ils n'en étaient pas à leur première razzia. L'expérience leur avait appris que la réussite d'un plan d'attaque dépendait uniquement de sa vitesse d'exécution. Une fois passé l'effet de surprise, les gens du village se virent encerclés de tous les côtés. Désarmés, ils ne purent offrir qu'une résistance aussi brève qu'inutile.

«Qui est le chef ici?» clama Tauria d'une voix hautaine et dédaigneuse. Les villageois, sidérés, le regardaient sans mot dire.

L'homme à la peau bariolée de figures géométriques hésita un bref instant puis, s'armant de courage, fit quelques pas vers l'étranger.

«Nous ne sommes pas des guerriers, proféra-t-il. Nous ne voulons pas de morts inutiles. Dis-moi ton prix!»

Tauria esquissa un sourire ironique, puis éclata d'un rire puissant. Lui, le géant, imposerait le prix ... *son* prix! D'un geste de la main, il fit signe à ses hommes de rassembler les prisonniers et de les faire asseoir au sol, près de la Maison de Vatra.

Issala essaya une première fois de se relever. Il crut que sa tête allait éclater tant la douleur qu'il ressentait était vive. Un filet de sang ruisselait sur son visage. Il regarda d'abord autour de lui et ne vit personne. Oubliant sa blessure, il s'esquiva entre les maisons et longea les murs à pas de loup. Sans bruit, il se rapprocha de la grande place. Il contourna une première, puis une seconde habitation et réussit à atteindre la meule de foin à deux pas de la Maison de Vatra. Issala se glissa péniblement à l'intérieur de la meule. Certain que personne ne l'avait repéré, il écarta prudemment les brindilles de foin. Il put ainsi observer à sa guise Tauria et ses hommes sur la grande place. Le visage couvert d'une barbe épaisse et d'une abondante chevelure noire, ces guerriers ressemblaient aux terribles hommes des montagnes dont parlaient les vieux conteurs du village. Issala frissonna de peur en les voyant s'approcher de la meule.

«Nous gardons les femmes!» s'écria Tauria.

Tel était son prix. La réaction ne se fit pas attendre. Amourtal, le chef du village, essaya de négocier avec celui qu'il considérait comme une brute sans foi ni loi.

«Prends notre récolte; elle a été très abondante cette année. Mais, laisse-nous nos femmes...

— Assez! rétorqua Tauria qui n'était pas d'humeur à discuter avec un vaincu. Que l'on garde les plus jeunes. Les autres sont trop encombrantes.»

C'est alors qu'Issala, seul et sans arme, assista impuissant à la scène horrible qui n'allait jamais s'effacer de sa mémoire. Tandis que certains choisissaient les femmes qu'ils avaient décidé d'emmener avec eux, d'autres se mirent à massacrer froidement hommes, femmes et enfants. Pour Issala, la tuerie dura une éternité. Il se couvrit les oreilles pour ne pas entendre les cris désespérés des siens, mais rien n'y fit. Il entendait distinctement le fracas des lances, les râlements des mourants, les supplications de ceux qui vivaient encore. Puis le calme revint et Issala, le coeur chancelant, frémit d'horreur en apercevant le sol jonché de cadavres. Le feu de l'offrande brûlait toujours, mais la fumée avait tourné au noir. Quant à Tauria et ses hommes, ils avaient subitement disparu. Seuls quelques lointains hurlements indiquaient qu'ils avaient repris leur route vers la rivière. Issala, secoué de convulsions nerveuses, se résigna alors à quitter le refuge qui lui avait sauvé la vie.

Il fit quelques pas vers l'enclos. Effrayées par ce tumulte insolite, les brebis s'étaient blotties les unes contre les autres. Issala fut saisi de tremblements violents et éclata en sanglots à la vue des siens qui gisaient sur le sol. Puis, du plus profond de son être, émergea un sentiment de rage et de vengeance qui le tira de son état de choc.

«Tallia, cria-t-il, ils ont pris Tallia...»

Il traversa la grande place à vive allure, contourna les maisons adossées à la palissade et franchit la porte restée ouverte. Au pas de course, il emprunta le sentier qui menait directement à la rivière. Faisant fi du danger, il se lançait à la poursuite de Tauria afin de lui reprendre celle qui lui avait été promise. Aux dernières récoltes, il avait été jugé en âge de prendre femme, et les anciens des deux familles avaient promis solennellement que Tallia suivrait Issala pour la vie.

Sur le bord du cours d'eau, les hommes de son village avaient jadis aménagé une jetée de terre qui servait de quai aux embarcations de bois. Celles-ci étaient utilisées pour la pêche, même si quelques audacieux les avaient déjà empruntées pour partir en exploration, sans grand résultat.

Lorsqu'il déboucha près de la jetée, Issala ne put retenir sa colère: Tauria semblait avoir tout prévu. Ses hommes s'étaient emparés de la plupart des embarcations et avaient éventré les autres à coups de lances afin d'empêcher toute poursuite.

«Jamais je ne pourrai traverser les marécages qui longent la rivière... Il me faut absolument une barque», se dit Issala.

Jetant un dernier regard dans la direction empruntée par Tauria, Issala décida de revenir au village. S'il voulait affronter son pire ennemi et s'exposer aux plus grands périls, il lui fallait préparer l'expédition: réparer l'une des barques et emporter armes et vivres.

*

Lorsqu'il franchit à nouveau l'unique entrée de la palissade, il aperçut les oiseaux de la mort qui entamaient leur ronde sinistre dans le ciel, au-dessus de la grande place. Issala frissonna d'horreur. Ces vautours qui se nourrissaient de la mort des siens lui inspiraient le plus profond dégoût. Il résolut alors d'ensevelir dignement parents et amis, quitte à retarder son départ d'une journée.

Alors que l'obscurité avait envahi la grande place et rendait le travail d'Issala de plus en plus ardu, il entendit les aboiements d'un chien. Il sortit en trombe de la maison où il avait rassemblé presque tous les corps et courut vers l'animal. Issala reconnut le compagnon de jeu du jeune Daniat, un petit chien noir à poils frisés, nerveux et espiègle. Issala s'agenouilla près de la bête, tapie dans l'ouverture de la porte d'une habitation. Le chien semblait vouloir le diriger vers une masse informe cachée dans le noir à l'intérieur de la maison. Issala s'avança prudemment, prêt à défendre sa vie.

«Amourtal? lança, du fond du logis, une voie étouffée.

— Non, c'est Issala, répondit le jeune homme sans reconnaître la voix. Tu peux venir, je suis seul, les autres sont partis.»

La voix apaisante d'Issala rassura le jeune garçon qui s'avança vers lui, hésitant. Issala le prit doucement par le bras et l'entraîna vers la grande place. Le petit chien noir, fier d'avoir retrouvé son maître, les suivit sans se faire prier.

«Il n'y a plus personne, commenta laconiquement Issala. Tu vas m'aider à transporter les derniers corps à l'intérieur. Demain matin, nous partirons d'ici.»

Daniat comprit et ne posa aucune question. Il se contenta d'exécuter les ordres d'Issala. Une fois le travail terminé, Issala entraîna avec lui le jeune garçon vers la Maison de Vatra afin d'y passer la nuit ... leur dernière nuit dans ce village maudit. Avant de s'endormir, Issala pria le Grand Vatra de les protéger, si telle était sa volonté.

*

Fidèle à un rituel maintes fois exécuté par Amourtal, Issala avait transformé l'une des maisons du village en un immense bûcher afin d'incinérer les corps des défunts. En temps ordinaire, une petite hutte de paille suffisait et la cérémonie se déroulait toujours à l'extérieur de la palissade. Mais cette fois, devant le nombre imposant des morts — Issala en avait dénombré cinquante-quatre —, il avait pris la décision d'incendier tout le village, poussé par le désir de purifier les lieux des crimes horribles commis la veille.

«Prends les sacs de provisions, ordonna ensuite Issala au jeune Daniat alors que les flammes commençaient à ronger le bois sec des maisons. Va et attends-moi à la jetée.»

Issala contempla un long moment le feu purificateur qui dévorait avec une fureur croissante la maison transformée en bûcher. C'est à ce moment qu'il jura par le Grand Vatra de retrouver Tallia et de faire périr dans les pires souffrances l'artisan de tous ses malheurs. Toutes les familles du clan avaient été dispersées ou exterminées, et un homme sans clan est comme un enfant sans sa mère. L'espoir de retrouver Tallia et les autres jeunes femmes constituait désormais sa seule raison de vivre. «Grâce à elles, pensa Issala, le clan de l'Ours noir pourra peut-être renaître un jour.»

*

La frêle embarcation qu'Issala et Daniat avaient réparée sommairement semblait tenir le coup. Depuis quelques heures, ils descendaient la rivière, portés par le courant plutôt calme à cette époque de l'année. Heureusement, car leur barque, à fond plat et aux rebords peu élevés, était plutôt inadéquate pour affronter les vagues agitées qui secouaient parfois la rivière. Issala n'emportait que le strict minimum: nourriture sèche — galettes de pain et pois séchés —, armes — arc, flèches et longs couteaux de silex — et, enveloppée précieusement dans une petite pièce de lin fin, l'objet sacré du village: la pierre noire. Issala espérait que grâce à cet objet fétiche, le Grand Vatra l'accompagnerait et le protégerait dans sa mission.

«Sais-tu où nous allons?» demanda le jeune Daniat.

C'était la première fois qu'il côtoyait un adulte du village. Daniat était presque fier de l'aventure qu'il vivait car, pour accompagner un homme à la pêche ou à la chasse, il fallait avoir été initié. Il jouissait donc d'un privilège, car il n'avait pas encore atteint l'âge de la puberté.

«Nous verrons», répondit Issala après un instant d'hésitation.

En fait, il n'en savait rien.

«Tauria sera bien obligé de faire halte quelque part, pensa-t-il. Alors je pourrai agir.»

Les heures passèrent. Entre temps, le vent de l'ouest se leva et poussa devant lui d'épais nuages gris qui s'amoncelèrent dans le ciel dévasté. Issala sentit la rivière se gonfler et l'embarcation ballotta sur les flots agités. Il scruta la rive à la recherche d'un endroit propice pour accoster et y passer la nuit. Mais aussi loin que portait son regard, les marécages bordaient le cours d'eau et rendaient les rives inaccessibles. Les vagues heurtaient maintenant la barque avec une vigueur renouvelée et menaçaient à tout moment de la faire chavirer. C'est alors que le miracle se produisit: à travers les fourrés épais de quenouilles, Issala aperçut, sur sa gauche, une mince ouverture formée par l'embouchure d'un ruisseau. D'un vigoureux coup de pagaie, il fit pivoter l'embarcation. Luttant de toutes ses forces contre le courant, il atteignit la rive, puis fit glisser la barque entre les quenouilles et les roseaux.

«Entrons dans l'eau, ordonna Issala à son jeune compagnon. Le ruisseau est peu profond et nous pourrons nous frayer un chemin à travers ces hautes herbes.»

Issala avait vu juste. La manoeuvre fut un jeu d'enfant. En quelques instants, ils franchirent la zone marécageuse. Au-delà, le ruisseau serpentait paresseusement à travers la plaine, bordée au nord de collines verdoyantes.

CHAPITRE 2

«Je te le répète, Issala, c'est la seconde fois que j'entends ce bruit étrange. Et ce n'est pas un cri d'animal.»

Daniat paraissait ennuyé par la réaction incrédule de son aîné. Après la tempête de pluie et de vent qui avait fait rage toute la nuit, Issala et Daniat avaient repris la route longeant le ruisseau. Au bout de quelques heures de marche, ils avaient finalement atteint la barrière de collines qui délimitait le côté nord de la plaine. N'ayant plus d'autre choix, ils décidèrent de contourner l'obstacle et de se diriger vers le levant.

À nouveau, des cris étranges fusèrent, provenant de la forêt toute proche.

«Couche-toi par terre», lança Issala à son compagnon, avant de se laisser lui-même tomber sur le sol. Tapi dans les herbes sèches de l'automne, Issala tenait fermement son arme. Nul doute qu'ils avaient réussi à rattraper Tauria. Déjà, Issala rampait vers le sous-bois tel un serpent silencieux et rusé, suivi de Daniat qui imitait exactement chacun de ses gestes. En quelques bonds bien mesurés, Issala pénétra dans la forêt et chercha refuge derrière un bosquet. Faisant signe à Daniat d'avancer prudemment vers lui, il continua sa course feutrée vers un autre bosquet. À quelque cent pas, un craquement sec retentit, suivi aussitôt d'un long grognement. Issala leva la tête mais les troncs d'arbres lui obstruaient la vue.

«À moi!» cria une voix étouffée venant de la même direction. Issala pensa immédiatement à Tallia et l'imagina aux prises avec l'horrible Tauria ou l'un de ses hommes. Il bondit hors de sa cachette, puis courut vers l'avant, suivi de Daniat effrayé mais bien résolu d'être aussi brave qu'Issala. Soudain, devant eux, un gigantesque ours noir, beaucoup plus grand que ceux qu'il leur avait été donné de voir auparavant, se dressa et leur barra la route. Menaçant, l'animal bondit dans leur direction en faisant claquer ses mâchoires, puis s'arrêta net.

«Il ne peut nous attaquer, dit alors Issala qui ne pensait déjà plus à Tallia. Nous sommes du clan de l'Ours noir et jamais il n'oserait s'en prendre à nous.

— À moi!» fit la voix qui semblait venir de nulle part.

Après un bref moment d'hésitation, l'ours émit un sourd rugissement qui fit frémir le jeune Daniat puis, se jetant de côté, s'élança dans la direction opposée. Quelques instants plus tard, le calme était revenu et les oiseaux avaient repris leur gazouillis habituel.

«À l'aide! lança à nouveau la voix désespérée.

— Le cri provient de derrière les rochers, sur la droite», affirma Daniat.

Issala contourna l'obstacle de pierre et découvrit une fosse profonde, creusée de main d'homme pour capturer le gros gibier de la forêt. Issala y aperçut, recroquevillé dans un coin, un jeune enfant, le corps couvert de poussière et de branchages. Surpris de voir surgir des étrangers, il replia le bras sur son visage comme pour se protéger des nouveaux assaillants.

«Donne-moi la main, dit alors doucement Issala, désireux d'apprivoiser la jeune victime. Accroche-toi et je vais te tirer de là.»

L'enfant demeura immobile, figé par la peur. Daniat sauta dans la fosse et s'agenouilla auprès de lui. Il le souleva dans ses bras malgré les coups que l'enfant tentait de lui donner au visage, puis le déposa près d'Issala. Une fois au sol, l'enfant s'esquiva aussi vite qu'un lièvre à travers les bosquets.

Au-delà de la forêt, de l'autre côté des collines, Issala et Daniat furent saisis par un spectacle à la fois réconfortant et inquiétant. Une campagne au relief adouci s'étendait à perte de vue, hérissée de nombreux villages qui s'estompaient à l'horizon. Des gens travaillaient aux champs, occupés à couper le grain de la récolte à l'aide de faux fabriquées d'un bout de ramure de cerf incrusté de petites pierres de silex formant le tranchant de l'instrument; d'autres surveillaient des troupeaux de moutons, qu'ils poussaient devant eux dans les champs fraîchement moissonnés. Sur la droite, non loin de la première agglomération, un attroupement s'était formé. Des hommes et des femmes discutaient et gesticulaient comme à l'approche d'un événement important.

«Ne restons pas ici, dit Issala, déterminé à reprendre le chemin de la forêt plus accueillante.

— Attends un moment, supplia Daniat, épuisé après ces derniers jours fertiles en émotions.

— Ce sont des inconnus, rétorqua l'aîné, et ils sont beaucoup plus nombreux que nous.

— Mais tout de même, insista l'autre en levant la main vers la campagne, ce sont des agriculteurs comme nous!»

Résigné, sans pour autant se sentir rassuré par l'argument de Daniat, Issala fit quelques pas vers le groupe de villageois qui se dirigeait vers eux. Certains portaient des armes aisément reconnaissables: des arcs et des flèches ainsi que des lances dont les pointes menaçantes rappelèrent à Issala le sinistre Tauria. Il remarqua tout à coup, parmi la foule agitée qui progressait vers eux, le jeune enfant de la forêt. Il était accompagné d'une femme plutôt âgée dont le visage ridé et le regard noble exprimaient dignité et sagesse. C'est elle qui, la première, prit la parole: «N'ayez crainte, jeunes gens. Vous avez sauvé la vie de mon petit-fils et je vous en suis reconnaissante. Soyez les bienvenus et que la déesse de la terre vous accompagne jusqu'à la fin de vos jours.»

Surpris d'une telle réception, Daniat et Issala échangèrent un regard de soulagement, puis ce dernier répondit: «Que le Grand Vatra te garde. Notre course fut difficile et nous ne souhaitons que nous reposer...

— Venez avec nous, insista la femme aux cheveux argentés. Nos maisons sont confortables et le feu vous réchauffera de la fraîcheur de l'automne.»

Entourés comme des héros par les villageois, Issala et Daniat s'engagèrent dans le sentier de terre qui conduisait au village. Issala fut impressionné par les nombreuses maisons du village. Jamais de sa vie il n'avait vu autant de monde! Intrigués par l'événement, d'autres paysans avaient quitté leur travail et affluaient vers les étrangers. Ainsi, lorsque la troupe atteignit les premières maisons, elle comptait au moins une centaine de personnes.

«Je suis l'Ancienne de ce village, informa alors la vieille femme. Je me nomme Oumial. Et voici ma demeure», ajouta-t-elle fièrement tout en les invitant à entrer.

Issala sourit à son hôtesse puis, avant de franchir l'entrée de la demeure, s'arrêta un moment. C'est une bien étrange maison, pensa-t-il; on dirait des murs de terre. Il constata que la charpente était de bois et les murs, d'un mélange de glaise et de paille. Des planches de bois formaient le toit en pignon. À la différence des autres demeures du village, les murs de la maison de l'Ancienne étaient décorés de motifs géométriques légèrement gravés en surface et décrivaient de grands jeux de lignes courbes ou droites. À l'intérieur, Issala ne se retrouva point sur un sol de terre battue, comme c'était la coutume dans son ancien village. Ici, tout était différent. Le sol était recouvert de planches de bois. Au fond de la maison rectangulaire, une pièce s'ouvrait sur un foyer de pierre et de terre cuite où pétillait un grand feu.

Après avoir déposé leur maigre bagage, Issala et Daniat s'installèrent par terre, près du foyer encadré de grands vases d'argile rouge qui servaient à remiser le grain. Une jeune femme vêtue d'une tunique blanche serrée à la taille par un ceinturon de cuir leur apporta de l'eau dans un haut vase de terre cuite à la base large et évasée. Sa surface était peinte de grands triangles sur son pourtour; ceux-ci faisaient penser à une chaîne de montagnes. Issala leva les yeux vers la jeune femme et fut frappé par la finesse du corps qu'il devinait à travers le vêtement. Il sentit monter en lui une sensation de bien-être qui le réchauffa. La jeune fille lui rappelait les nuits passées dans la «maison des amants» de son village, où les jeunes gens se retrouvaient en couple. Issala n'était pas encore uni à une femme et il se demanda si, dans le village de ses hôtes, il existait une semblable «maison des amants». Tenant distraitement son vase d'eau à la main, Issala laissa voguer ses pensées... Le passé, le présent et l'avenir semblaient ne plus avoir d'importance.

CHAPITRE 3

Les villageois avaient organisé une fête, comme ils avaient coutume de le faire pour souligner les grands événements. Ils voulaient exprimer leur joie et leur reconnaissance envers les deux étrangers qui avaient fait déguerpir avec autant de bravoure le grand ours noir. Daniat était ravi de retrouver des jeunes de son âge et, depuis le début de la fête, Issala l'avait tout simplement perdu de vue. Il ne s'en inquiéta guère longtemps. Il affectionnait les danses auprès du feu où s'entremêlaient les récits les plus fantastiques des conteurs et les éclats de rire provoqués par la boisson de blé longuement fermentée que tous buvaient sans restriction aucune. Issala s'approcha du feu où l'Ancienne avait pris place, entourée de statuettes plantées dans le sol et représentant des figures féminines. Il aperçut la jeune fille qui avait éveillé en lui un mélange si délicieux de rêves et de désir et vint s'asseoir à ses côtés.

«Pourquoi ces statuettes?» demanda-t-il à la jeune femme qui tressaillit en entendant sa voix.

Elle était enchantée de revoir le jeune étranger et son coeur se mit à battre d'une façon toute nouvelle pour elle. D'un léger mouvement de tête, elle rejeta vers l'arrière les longues mèches de cheveux noirs qui lui cachaient le visage et, d'un ton neutre, expliqua: «L'Ancienne est notre mère et la terre est la mère de l'Ancienne. Les statuettes représentent la Terre-Mère qui donne le lait et le grain.»

Elle ajouta qu'elle s'appelait Sirial, fille de l'Ancienne, et qu'elle n'était pas encore unie à un homme. Issala n'écoutait plus, charmé par les grands yeux noirs et brillants de la jeune fille. Son coeur était soudainement enivré d'émotions douces. Sirial se leva et entraîna Issala dans une danse langoureuse ponctuée des rythmes lents d'un tambour. Le batteur augmenta la cadence et la danse s'endiabla. Les couples se formèrent peu à peu dans un jeu subtil de frôlements. Un peu à l'écart, l'Ancienne observait la scène, témoin attendri de la complicité naissante de Sirial et d'Issala. Le jeune homme respirait la vigueur et la bravoure, qualités qu'elle appréciait chez un homme.

Envoûté par le rythme de la danse désormais à son paroxysme, Issala perdit pied et s'écrasa durement sur le sol. Le petit sac de cuir fixé à sa ceinture se fendit et des pierres jaunes roulèrent aux pieds de Sirial. Elle poussa un cri de stupeur et recula d'effroi. Un silence menaçant remplaça les sons joyeux de la fête et l'Ancienne se précipita auprès du jeune homme, étendu sur le sol.

«Emparez-vous de lui, ordonna-t-elle, et conduisez-le dans la «maison du châtiment.»

Issala n'eut guère la force de résister aux trois hommes qui l'emmenèrent sur-le-champ. Une fois enfermé dans la «maison du châtiment», il reprit peu à peu connaissance. À l'extérieur, près du grand feu dont les flammes jetaient de moins en moins d'éclat, c'était l'accalmie. Seule l'arrivée de Daniat brisa un bref instant le silence qui enveloppait le village.

«Qu'avons-nous fait? demanda Daniat à Issala, accroupi sur le sol. Il ne comprenait pas pourquoi les événements avaient pris une tournure aussi tragique.

— Je savais qu'il fallait se méfier», ragea Issala dont l'univers semblait à nouveau s'écrouler.

Les deux jeunes gens s'assoupirent, l'un pour retrouver ses rêves d'enfants à la recherche d'une vie paisible; l'autre évoquant avec amertume une rencontre amoureuse manquée...

Lorsque le soleil fut bien haut dans le ciel, l'anxiété d'Issala redoubla. Depuis l'aube, un va-et-vient perpétuel l'avait plongé dans une vive inquiétude, d'autant plus qu'il avait la profonde certitude de n'avoir enfreint aucune règle de la coutume.

«Sortez de là», cria un homme d'une voix énergique en ouvrant violemment la porte de la «maison des châtiments».

Issala et Daniat s'exécutèrent. Encadrés par des hommes portant des lances aux pointes fines et acérées, ils furent conduits sans délai vers la demeure de l'Ancienne, de l'autre côté du village, à l'opposé de l'endroit où ils avaient passé la nuit. Devant la maison, l'Ancienne les attendait, debout, les bras croisés sur la poitrine. De chaque côté d'elle, se tenaient d'autres femmes à l'oeil méfiant. Sirial s'y trouvait, émue, cherchant à camoufler son désarroi. Elle évitait le regard de celui qui avait failli devenir son amant. Devant elles, à une dizaine de pas, tous les adultes du village étaient réunis. Un silence hostile planait sur la place où se tenait l'assemblée. Les deux prisonniers furent alors contraints de s'agenouiller devant l'Ancienne et l'un des gardes se chargea de leur ligoter les bras derrière le dos.

«Ne résiste pas», murmura Issala à son compagnon qui refusait le traitement habituellement réservé à ceux qui sont soumis aux grands châtiments.

«Le crime de ces étrangers est grave, déclama lentement l'Ancienne, le visage impassible.

— Les pierres jaunes sont sacrées», renchérit un homme, les yeux injectés de haine pour l'étranger.

— C'est exact, Kaltour, ajouta l'Ancienne. L'Or n'appartient qu'aux dieux et nul mortel n'a le droit de le posséder.»

Issala sursauta à l'écoute de ces paroles. Il ne connaissait pas «L'Or des dieux». Ces pierres jaunes n'avaient été qu'un objet de curiosité, sans plus.

«Ce sont des pierres que j'ai ramassées dans le ruisseau au-delà des collines, tenta d'expliquer Issala devant la foule.

— Mensonge! cria Kaltour. Les pierres jaunes proviennent de la montagne. On ne peut les trouver dans l'eau d'un ruisseau!»

Issala reprit en vain ses explications, mais personne ne voulut l'entendre.

«Celui qui prend aux dieux doit rendre aux dieux et payer le prix de son sacrilège.»

Les dernières paroles de l'Ancienne soulevèrent la colère de la foule qui exigea qu'on décide du sort des coupables sur-le-champ.

«La mort», hurla Kaltour qui trouvait ainsi le moyen d'assouvir sa vengeance à l'égard de l'homme qui avait gagné le coeur de Sirial.

«La mort», enchaîna la foule qui assistait à la scène.

Issala savait que le sort en était jeté. Un sacrilège avait été commis. Sans qu'il comprenne pourquoi, il était coupable et la coutume exigeait que l'Ancienne exécute les volontés des habitants du village.

«Par la volonté de la divine Mère, je déclare les étrangers coupables du vol des pierres jaunes.»

L'Ancienne ne put continuer. Sa voix défaillit devant l'air résigné d'Issala. Son intuition première, lui semblait-il, était bonne. Malgré les circonstances accablantes, le jeune homme ne pouvait avoir dérobé les pierres jaunes dont elle avait la garde, elle, l'Ancienne. Sirial partageait son point de vue; elles en avaient longuement discuté durant la nuit. Mais si l'assemblée l'ordonnait...

«La mort est un juste châtiment, poursuivit-elle d'un ton plus sûr. En revanche, les étrangers ont fait preuve d'une grande bravoure en sauvant l'enfant dans la forêt. Qu'ils conservent la vie et qu'ils soient soumis au dur travail de la montagne jusqu'à la fin de leurs jours. J'ai dit.»

Personne n'osa répliquer, pas même Kaltour. Chacun se rappelait le sauvetage miraculeux du petit-fils de l'Ancienne. Le travail de la montagne exigeait une grande force physique. La décision de l'Ancienne soulagerait les hommes du village qui, à tour de rôle, devaient se rendre à la Porte du Feu Sacré. Sirial poussa un soupir de soulagement devant la réaction finale de l'assemblée. Son attachement pour Issala grandissait à chaque instant et, puisqu'il avait la vie sauve, un jour viendrait peut-être où, Mère du village, elle userait de son pouvoir pour le libérer de son triste sort.

CHAPITRE 4

Le lendemain matin, lorsque se levèrent les derniers voiles de brume qui couvraient la campagne, Issala fut conduit seul vers la mystérieuse Porte du Feu. Daniat ne l'accompagnait pas. L'Ancienne avait décidé que le jeune garçon, trop délicat pour la corvée de la montagne, surveillerait les moutons avec les autres enfants du village. Cette décision soulagea Issala qui craignait le pire pour son jeune ami. Quant à Daniat, la nouvelle l'avait tellement excité qu'il en avait parlé presque toute la nuit.

La Porte du Feu où se dirigeait la petite troupe matinale sous la conduite de Kaltour était située dans la région des collines. C'était tout près de l'endroit où Issala et Daniat s'étaient retrouvés nez à nez avec l'ours noir, quoique plus à l'ouest. Le sol y était plus rocailleux et les habitants du village avaient aménagé un sentier étroit et sinueux entre les blocs de pierre afin d'atteindre plus facilement les hauteurs. Au sommet de la colline, la végétation se faisait rare, dominée par de sombres rochers qui conféraient à l'endroit un aspect lugubre qui déplut immédiatement à Issala. Les hommes qui le précédaient lui indiquèrent l'entrée d'une caverne. L'intérieur semblait à peine visible: un gros bloc de pierre servait de porte. À quelques pieds au-dessus de l'ouverture, dans la paroi de la falaise rocheuse, une petite fenêtre carrée laissait échapper une fumée grise, que le vent impétueux des hauteurs dissipait aussitôt. Voilà sûrement la Porte du Feu, en déduisit Issala. L'inquiétude qui le rongeait depuis la veille faisait place à un nouveau sentiment empreint de curiosité et de résignation. Pourquoi tenter de fuir? se répétait-il sans cesse. Pour qui? Pour Tallia? Jamais je ne la retrouverai. Tauria est bien loin désormais. Pour le moment, se dit-il, je suis en sécurité dans ce village. L'hiver approche et je préfère être retenu ici contre mon gré que de m'égarer dans les bois, victime du froid et des loups.

À quelques pas de la caverne, les hommes s'arrêtèrent.

«Voici la montagne, annonça l'un d'eux. C'est ici que nous travaillons la pierre. Ce sera ton travail.

— Tu vois les traces de «cuivre» dans le rocher? s'empressa d'ajouter Kaltour d'un ton autoritaire. Tu dois briser la pierre avec ce marteau et en dégager le métal.

— Je connais la pierre, s'empressa de dire Issala, mais le «cuivre»...

— Peu importe, coupa sèchement l'homme au regard sournois si visiblement contrarié par la présence de l'étranger. Le sorcier prétend que le cuivre est plus précieux que la pierre et que seuls les dieux en connaissent le secret.»

Les propos de Kaltour intriguèrent Issala au plus haut point. Cet homme tyrannique lui remit le marteau de pierre, puis hâta le pas vers la caverne pour y disparaître aussitôt.

*

Les heures passèrent sans qu'Issala s'en rendît vraiment compte. Avec ses compagnons, il s'était attaqué au rocher afin de dégager le «cuivre». De temps à autre, un homme vêtu d'un simple pagne de laine, le corps couvert de poussière et de suie, sortait de la caverne. Il se rendait en silence aux rochers, y ramassait les morceaux de métal, puis repartait vers la caverne. Personne ne disait mot. Puis, le travail reprenait. Pour Issala, ce «cuivre» ressemblait étrangement aux pierres jaunes qu'il avait trouvées dans le lit du ruisseau, et tout ce qui se passait autour de lui semblait enveloppé d'un mystère aussi grand que celui des tempêtes et du vent. Aux instants de répit, il observait attentivement la Porte du Feu, mais ni la fumée parfois très dense qui s'en dégageait, ni les coups répétés en provenance de la caverne n'avaient de sens à ses yeux. Au fil des jours, Issala comprit que la Porte du Feu symbolisait la présence de forces sacrées et que seuls les grands initiés en détenaient le secret.

L'automne affichait des couleurs éclatantes. Chaque jour, les oiseaux se concertaient dans les sous-bois avant leur folle équipée vers le sud. Les grains étaient rentrés dans les silos d'argile et la vie du village battait à un rythme plus calme. Les journées raccourcissaient peu à peu. À l'aide de Daniat et grâce aux conseils bienveillants des quelques villageois avec lesquels il travaillait dans la montagne, Issala avait construit sans trop de peine une petite cabane sur le modèle des maisons qui l'entouraient. Avec l'arrivée des nuits fraîches, les deux compagnons ne mirent guère de temps à apprécier le confort des murs étanches de leur nouvelle demeure et de son foyer intérieur.

Un soir, alors qu'Issala s'apprêtait à jeter au feu une dernière bûche pour la nuit, un léger bruit de pas provenant de l'arrière de la maison attira son attention.

«Encore une bête sauvage qui rôde à la recherche d'un refuge pour la nuit, murmura Issala. Au moins, dans notre village, il y avait une palissade...

— Non! Écoute, fit Daniat à voix basse. On dirait plutôt des pas d'homme.» Le jeune garçon écoutait attentivement, assis sur le sol près du foyer.

Il avait à peine terminé sa phrase que trois petits coups secs résonnèrent sur le mur arrière.

«Issala... Issala...», répéta une voix que ce dernier, surpris et incrédule, reconnut aussitôt.

«Est-ce toi, Sirial?

— Je cours un grand risque en venant ici, Issala, mais je dois te prévenir. Kaltour trame un complot. Depuis deux ou trois jours, les gens de son clan refusent de parler à l'Ancienne. Je suis très inquiète pour elle et pour toi. Kaltour critique ouvertement ta présence au village même si, pour le moment, il laisse faire. Il prépare quelque chose, et comme son clan est le plus important du village...

— Que pense l'Ancienne de tout cela? interrogea Issala, vivement contrarié par les curieuses révélations de Sirial.

— Elle n'en sait rien, mais il est possible que...»

La jeune femme se tut. Issala se rapprocha davantage du mur d'où provenait la voix, mais tout était redevenu silencieux.

«Sirial? Tu es toujours là?

— Oui, fit-elle, hésitante et à mi-voix. Un des hommes du clan de Kaltour rôde autour des maisons. Je dois partir... Sois prudent, Issala, je t'en conjure...»

Les pas s'éloignèrent et Issala demeura un instant appuyé contre le mur de terre séchée. Daniat, qui avait saisi des bribes de conversation, le dévisageait sans rien dire.

«Je déteste ce Kaltour depuis le premier jour, dit enfin Issala en rejoignant son compagnon près du feu. Cette fois, il veut s'en prendre à l'Ancienne et certainement à Sirial. Je me demande ce qu'il peut bien manigancer...»

La réponse à la question qui tourmentait l'esprit d'Issala n'allait pas tarder à venir. L'aube approchait, mais cette fois, le réveil fut brutal...

CHAPITRE 5

Le vent frais du matin attaquait fougueusement la grande place du village et soulevait des tourbillons de poussière. Issala et les hommes qui l'accompagnaient, tassés les uns contre les autres sur le sol, avaient tous été surpris par les événements.

«Regarde, nota l'un des hommes, ils ont posté des gardes autour de la maison de l'Ancienne.

— Ils ont même enfermé Sirial dans la «maison du châtiment».

— Kaltour décide de tout comme s'il était lui-même le Conseil!

— Et son clan marche avec lui.»

Issala écoutait sans broncher. Il aurait bien voulu passer à l'action pour tenter de libérer Sirial. Il se sentait pris au piège comme un lièvre, incapable d'affronter seul l'ambitieux Kaltour et les hommes de son clan.

En quelques heures, la vie normale du village avait été complètement bouleversée. Kaltour, l'homme fort, redouté pour sa brutalité et ses combines sournoises, imposait sa loi. Ceux qui avaient refusé de s'y soumettre étaient devenus ses ennemis et Issala plus que tout autre.

«Je suis le gardien de la Porte du Feu, proclama alors Kaltour qui avançait à grands pas vers la maison de l'Ancienne. Emmenez ces hommes à la montagne et qu'ils se mettent au travail.

— Que fait-on de l'Ancienne? demanda l'homme qui accompagnait Kaltour, le regard peu rassurant.

— Elle n'est plus l'Ancienne. C'est une vieille radoteuse qui a complètement perdu la raison. Le sorcier de la caverne dit que les dieux du métal accordent force et puissance à celui qui les respecte. Ne suis-je pas depuis toujours le gardien de la Porte du Feu?»

Sur ces paroles lancées sur un ton arrogant, il ordonna à ses hommes de prendre leur lance et de conduire les prisonniers sur la montagne. Il déciderait plus tard du sort réservé à l'Ancienne et à Sirial.

Issala comprit que Kaltour ne plaisantait pas. Cet homme perfide avait réalisé un coup de force contre le Conseil des femmes et, pour satisfaire ses ambitions, s'était emparé du pouvoir dans le village. Kaltour s'était proclamé chef à la place de l'Ancienne et comptait sur le précieux métal pour asseoir sa domination. Les jours d'Issala étaient comptés. Il fallait agir vite avant qu'il ne se débarrasse de lui. Mais que pouvait-il, seul et sans armes?

*

Pendant qu'Issala fracassait avec rage la pierre dure de la montagne, un des prisonniers s'approcha discrètement de lui, faisant mine de poursuivre son travail. C'était un homme d'âge mûr, visiblement peu habitué à ce genre de corvée.

«Issala, dit-il à voix basse, je suis trop vieux pour ce travail. Toi, tu es jeune et fort mais je crains que Kaltour ne te condamne à mort à la moindre peccadille. Alors écoute-moi. Tu peux nous aider.

— Je ne peux rien, répliqua le jeune homme.

— Pense à Sirial. Elle te plaît, n'est-ce pas? Je sais que Kaltour veut la prendre pour femme, malgré qu'elle se soit toujours refusée à lui.

— Kaltour n'osera jamais; c'est la fille de l'Ancienne, non?

— Ne sois pas naïf! Kaltour fera tout ce qu'il désire et Sirial devra se plier bon gré mal gré à sa volonté.

— Nous sommes coincés ici. Les gardes de Kaltour nous surveillent sans arrêt et il n'est pas question de les affronter sans armes.

— Il y a peut-être une possibilité. Sirial est du clan de l'Ancienne.

Or, son clan a des liens avec les clans du village situé près du lac. Si tu atteins ce village, les habitants te viendront sûrement en aide.

— Mais pourquoi accepteraient-ils? Ils ne me connaissent pas.

— Prends cette amulette, présente-la à l'Ancienne et dis-lui que la vie de Sirial est en danger. Elle comprendra.»

Issala saisit l'objet de pierre sculptée que son interlocuteur lui glissait prudemment dans la main, puis le cacha dans la ceinture de sa tunique. L'homme s'éloigna de quelques pas. Issala se remit à casser la pierre en imaginant des tactiques pour tromper la vigilance de ses gardiens et fuir ces lieux maudits.

Le sentier menant à la montagne traçait une large courbe à l'endroit où les rochers se dressaient pour rendre les lieux inaccessibles. La voie de passage y était si étroite que les hommes devaient se suivre, les uns derrière les autres, sur une distance de près de cent pas. Une fois leur dur labeur terminé, les hommes du village s'y étaient engagés, encadrés à l'avant et à l'arrière par les gardes de Kaltour. Tout à coup, l'homme à l'amulette, qui marchait devant Issala, poussa des cris rauques, bousculant sans ménagement ses compagnons.

«Vite Issala, cria l'homme. Grimpe ici et sauve-toi!»

Profitant de la confusion, l'homme saisit Issala par la taille et le poussa de toutes ses forces vers le haut du rocher qui formait l'une des parois du passage. Issala, le coeur battant, s'agrippa au rocher et chercha fébrilement des saillies de pierre auxquelles s'accrocher. Il se hissa à bout de bras sur les rebords du roc qui surplombait l'étroit passage. Sans perdre une seconde, il se releva et se lança dans une course folle à travers le champ de pierres acérées qui s'ouvrait devant lui. Inconscient des blessures qu'il s'infligeait aux pieds, Issala prit sans hésiter la direction de la Porte du Feu. «Kourtal et ses hommes vont se dire que je vais fuir à travers la forêt, raisonnait Issala. C'est la route la plus facile mais le risque qu'ils m'y rattrapent est beaucoup trop grand. Je connais l'endroit où ils n'auront jamais l'idée de me rechercher.»

Alors que plus bas, dans la colline, les hommes de Kaltour sortaient en trombe du passage et s'élançaient dans la forêt toute proche à la recherche du fuyard, Issala s'approchait à pas feutrés de la caverne. Après avoir vérifié que personne ne rôdait dans les environs, il se glissa le long du rocher puis regarda à l'intérieur de la caverne avant de franchir la porte interdite. Une odeur âcre le saisit à la gorge. Il réprima avec peine son envie de tousser en respirant l'air infect de la caverne. Il resta blotti un moment près de l'entrée. Une forte lueur retint son attention au fond de la galerie et laissa entrevoir l'existence d'une seconde pièce. Issala s'en approcha. Profitant de l'obscurité, il s'arrêta près de l'ouverture puis, avec précaution, jeta un oeil dans la pièce d'où provenait la mystérieuse lueur. Deux hommes s'y trouvaient: le sorcier qu'Issala reconnut aux nombreux colliers qui lui couvraient presque toute la poitrine et l'homme qui transportait le cuivre dégagé par les ouvriers de la montagne. Près d'eux, un énorme foyer projetait une vive lumière qui transformait la silhouette des deux hommes en spectres dont la vue saisit Issala d'horreur. Il regrettait de s'être aventuré dans la Porte du Feu, audace qui lui attirerait certes les pires tourments.

Issala devint malgré lui l'un des initiés de la Porte du Feu. Le sorcier avait saisi deux plaques d'argile qu'il avait fixées et attachées l'une sur l'autre. Puis, lentement, il fit couler à l'intérieur, par une minuscule ouverture, un liquide de feu provenant d'un récipient que le compagnon du sorcier venait de retirer du foyer. L'opération terminée, Issala vit le sorcier déposer la pièce d'argile dans un bassin rempli d'eau. Une fumée blanche s'éleva aussitôt du récipient. Quelques instants plus tard, le sorcier retira l'objet de l'eau, brisa l'argile sur une pierre et ramassa une pièce de métal roux foncé qui fit trembler Issala: elle avait exactement la forme des pointes de lance des habitants du village. Le métal est donc comme la neige, pensa Issala. La chaleur le fait fondre et l'eau froide le fait durcir. Voilà le secret du métal! C'est pourquoi Kaltour veut garder ce secret pour lui. Ses armes seront supérieures à celles des autres et personne ne pourra faire échec à ses ambitions.

CHAPITRE 6

De légers flocons de neige valsaient dans la nuit tranquille, troublée par les seuls hurlements sinistres des loups. Issala était à bout de force. Ses pieds lui faisaient mal; ils étaient couverts de boue et du sang des multiples coupures qu'il s'était infligées dans la montagne. Peu avant l'aube, au moment où les premières lueurs du matin font émerger de l'obscurité les paysages les plus invraisemblables, Issala était arrivé en vue du village situé près du lac. Encouragé à la vue des maisons qui commençaient à se découper sur l'horizon, il rassembla son énergie défaillante puis atteignit les premières habitations. Quelques villageois, alertés par les aboiements des chiens, aperçurent Issala, qui arrivait en titubant.

«Je viens du village d'Oumial, l'Ancienne, dit Issala au premier villageois qui se porta à son secours. Elle est en danger...

— Allez chercher les autres, cria l'homme qui, frappé par l'allure misérable d'Issala, venait de le saisir à la taille pour l'aider à se tenir debout. Je me rends chez Ménassile.»

Pendant que l'homme se dirigeait avec Issala vers un bloc de maisons dont les toits blancs recouverts de neige réfléchissaient les premiers rayons du soleil, les autres firent rapidement le tour du village et alertèrent les villageois encore endormis. Quelques minutes plus tard, Issala se retrouvait bien au chaud près du foyer de la maison de l'Ancienne du village, en train de siroter la tasse de lait bouillant que lui avait préparée une des femmes de la maison. Autour de lui, plusieurs hommes et femmes s'entassaient, attendant que Ménassile interroge le jeune homme qui avait troublé leur quiétude matinale. L'Ancienne portait une longue robe de laine qui lui donnait une allure un peu gauche, mais la douceur de son visage, ses yeux calmes et ses longs cheveux recouvrant ses épaules rassurèrent Issala.

«Tu es du village de la Porte du Feu? demanda Ménassile.

— Oui», répliqua Issala. Il fouilla à l'intérieur de sa tunique et en retira un petit objet de pierre. Il le tendit à l'Ancienne, puis ajouta: «Voici une amulette que m'a laissée un des hommes du village. L'Ancienne est retenue prisonnière par Kourtal et les hommes de son clan. Sirial, aussi, est menacée.»

Ménassile saisit l'objet et le fixa un instant d'un regard attentif puis, se retournant vers les gens qui se pressaient autour d'elle, elle montra la pierre et lança d'une voix grave: «C'est la pierre du clan d'Oumial. Si le jeune homme dit juste, notre soeur a besoin de notre aide. Que le Conseil se réunisse immédiatement.»

Selon la coutume, les représentantes des clans discutèrent durant de longues heures. Issala les écoutait et, parfois, répondait à leurs questions, empressé de relater son aventure et les événements qui avaient bouleversé la vie du village d'Oumial et de Sirial. À l'intérieur de la demeure de Ménassile, l'atmosphère fébrile du début fit place à un désir de vengeance que ne dissimula aucunement l'Ancienne: «Kourtal doit être puni! La loi du village interdit à quiconque de toucher à l'Ancienne. Que les préparatifs commencent! Défendons l'honneur de notre clan!

— Comment le pourrons-nous? demanda l'une des femmes du Conseil. Le village de la Porte du Feu possède des armes de métal. Les nôtres sont de pierre. Le combat sera trop inégal.

— Je sais, dit Ménassile. Mais nous ferons appel à nos frères des autres villages. Ensemble, nous serons plus nombreux et Kourtal devra se résigner et se soumettre.

— Il faudra les convaincre de se joindre à nous, intervint alors Issala. Et j'ai un très bon argument: je promets au nom d'Oumial de révéler le secret du métal à tous ceux qui participeront à l'élimination de

Kourtal. De cette façon, tous les villages de la vallée deviendront égaux et frères.

— C'est un secret des dieux, rétorqua Ménassile, étonnée par la proposition du jeune homme. Seul le sorcier de la Porte du Feu le connaît.

— J'ai vu et je sais moi aussi.»

Ménassile hésita quelque peu, puis se redressa brusquement: «Que des messagers partent vers les villages, ordonna alors l'Ancienne, et que tous ceux qui acceptent de se joindre à nous se donnent rendez-vous au coucher du soleil à l'endroit où se trouve le grand chêne.»

*

Le grand chêne solitaire se dressait en pleine campagne, en un point central où, à l'occasion, les habitants des divers villages de la région se rencontraient pour fêter et échanger leurs produits. C'est de là que partirent, en pleine nuit, les hommes armés réunissant pour la première fois tous les clans de la région. Jamais Issala n'avait vu autant de lances et d'arcs. Malgré tout, l'inquiétude l'envahissait. Sirial était à la merci de Kourtal et personne ne pouvait prévoir ses réactions. Il avait montré sa brutalité et son manque de respect à l'égard de l'Ancienne. Seule une attaque surprise pourrait le neutraliser rapidement. Grâce à sa connaissance des lieux, Issala put indiquer aux hommes qui l'accompagnaient les deux sentiers qui menaient directement vers les points stratégiques du village, la demeure de l'Ancienne et les maisons du clan de Kourtal. À la faveur de la nuit faiblement éclairée par un mince croissant de lune, les hommes armés se faufilèrent silencieusement, d'abord à chaque bout du village, puis entre les maisons, et progressèrent vers les deux points indiqués par Issala. En quelques minutes, au grand soulagement d'Issala, des groupes de dix à quinze hommes se dressèrent autour de la maison de Kourtal et de celles de son clan, attendant le signal de l'attaque. Issala s'approcha avec quelques hommes de la demeure de l'Ancienne puis s'écria: «Mort à Kourtal!»

Issala raconta des centaines de fois comment, sans que personne fut blessé et dans la surprise la plus totale, Kourtal et ses hommes furent tirés de leur sommeil et menés rapidement sur la place du village. Au fil des ans, son histoire prit l'allure d'une légende maintes fois racontée par les vieux du village, mais personne n'osa mettre en doute le courage dont il avait fait preuve ce jour-là. Aux yeux d'Issala, la réalité finit par se mêler au merveilleux: il avait retrouvé Sirial qu'il ne quitterait jamais plus et les pierres jaunes qu'il avait découvertes dans le ruisseau au-delà des collines lui valurent le respect de tous.

«Mais la douleur accompagne souvent les plus grandes joies, racontait Issala aux gens du village qui n'avaient pas connu cette épopée glorieuse. En pénétrant dans la maison de l'Ancienne, je découvris qu'elle avait rejoint la Terre-Mère. Ses yeux s'étaient éteints et ses membres étaient sans vie. Elle avait rendu son dernier souffle à la suite des menaces de ce vil Kourtal qui voulait l'obliger à lui donner Sirial pour épouse. Puisse-t-il errer encore longtemps tel un loup sans famille!»

Habituellement, à ce moment précis du récit, Issala fermait les yeux et cherchait dans ses souvenirs les détails de la mise en terre de la Mère du village. Puis, après un moment de réflexion, il rouvrait ses paupières alourdies par l'âge et poursuivait lentement, d'une voix altérée de chagrin et teintée de mystère: «Elle était magnifique, l'Ancienne, parée de bijoux de toutes sortes fabriqués avec l'Or du dieu. Ses colliers comptaient des centaines de perles, ses lourds et larges bracelets lui serraient les poignets, son sceptre en forme de croix avait été déposé près de son corps dans la fosse funéraire; elle portait une longue robe que Sirial avait ornée de petites plaques rondes et carrées... Elle brillait comme le soleil! Avant la fermeture de la fosse, j'ai déposé près d'elle des outils de cuivre et de silex. Les haches de cuivre symbolisaient la fraternité qui devait unir tous les villages dans la connaissance et l'utilisation du métal de la Porte du Feu...»

Les années passèrent et l'on raconta longtemps les aventures d'Issala qui, avec Sirial, devint le premier chef du village. Maître de la Porte du Feu, Daniat apprit à fabriquer les plus beaux objets en or de toute la région, comme ce pendentif représentant une vache que Sirial porta fièrement toute sa vie durant. Il fut ensuite transmis de mère en fille pendant de nombreuses générations, symbole sacré du clan qui avait chassé Kourtal et ramené la paix au village de la Porte du Feu.

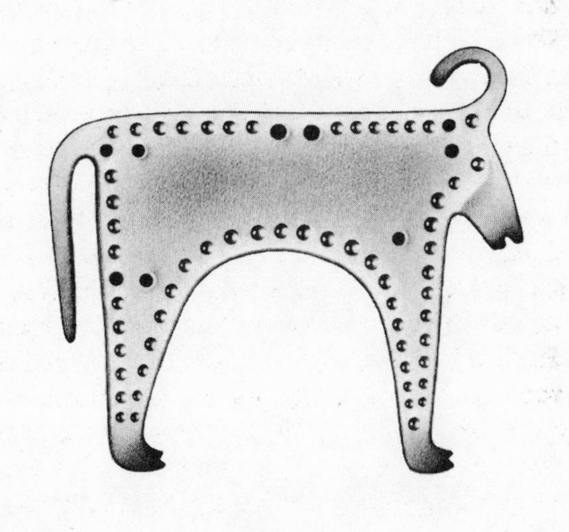

TROISIÈME PARTIE

Les cavaliers de la forteresse

CHAPITRE PREMIER

Rumalia détestait les cavaliers de la forteresse. C'était un solide gaillard qui n'avait pas froid aux yeux. Il ne craignait personne, pas même les «maîtres» qui habitaient la ville fortifiée. Au village, tout le monde le respectait pour la sagesse de ses décisions, mais son mauvais caractère ne lui avait valu que très peu d'amis au cours des années. Pourtant, il ne souhaitait que le bien-être de sa famille, une nombreuse progéniture et... le départ des cavaliers. Peut-être un jour..., pensait-il inlassablement au fond de lui-même. Un jour où il ressassait ses désirs bien connus de tout le village, quelqu'un s'introduisit à l'improviste dans l'étable où il était en train de nourrir ses brebis. Faisant brusquement irruption dans la pièce, l'homme sema la panique parmi les bêtes qui bondirent nerveusement dans toutes les directions.

«Rumalia! déclara le messager du maître du château, après avoir bien ri de voir les bêtes apeurées sauter à gauche et à droite, Colotys convoque au palais tous les chefs de villages pour célébrer les fêtes de Dionysos qui ont lieu dans deux jours. N'oublie pas d'apporter tes présents, comme le veut la coutume.»

Rumalia jeta un regard glacial vers le géant qui s'était planté devant lui, les deux mains appuyées sur les hanches. Il était vêtu à la manière des hommes du château. Une longue cape multicolore recouvrait sa tunique alors qu'un bonnet fait de peaux de renard cachait presque entièrement son épaisse chevelure rousse.

«Ce sera deux jeunes agneaux, maugréa Rumalia. Comme pour les fêtes de l'année dernière.

— Colotys sera satisfait de tes deux agneaux, mais cette fois-ci, il y a plus.

— Que veux-tu dire par là?

— J'ai reçu l'ordre de t'annoncer que, cette année, tous les chefs de villages qui possèdent des filles en âge de prendre homme doivent les conduire au château.

— Colotys recueille une partie de nos récoltes, réclame des agneaux pour les festivités de Dionysos et en plus, il exige nos filles?

— Écoute-moi bien, Rumalia. Tu n'es pas en mesure de refuser. D'ailleurs, tu devrais considérer la demande de notre grand chef comme une faveur et oublier ta rancoeur...

— Ça, jamais! vociféra Rumalia qui entre temps avait saisi une fourche et en menaçait son visiteur. Plutôt mourir!»

Ce dernier n'insista pas davantage. Il recula de quelques pas, puis sortit de l'étable. Rumalia continua à ruminer sa rage alors que dans la cour, le galop rapide d'un cheval indiquait que l'homme du château, ayant accompli sa mission, quittait les lieux à vive allure.

Par une étroite porte de bois qui reliait l'étable à la maison principale, Rumalia traversa une salle où l'une de ses deux épouses s'occupait de la grand-mère, Bérina, que le dernier hiver avait beaucoup affaiblie. Rumalia s'approcha du lit de bois qui longeait le mur donnant sur l'étable et posa délicatement une main sur le visage de la vieille dame qui semblait assoupie.

«Tu devrais te contrôler, Rumalia, dit Bérina calmement. Sinon, ajouta-t-elle sur un ton qui frisait la taquinerie, c'est toi qui «peut-être un jour...» Elle rit doucement et ouvrit les yeux vers son fils qu'elle connaissait si bien. «C'est une très vieille histoire, Rumalia. Tu n'étais même pas encore né, et moi non plus, lorsque les grands hommes blonds sont apparus. Ils venaient du nord, personne ne sait d'où. Aujourd'hui, les clans thraces se répandent partout, sur toutes les collines, dans toutes les vallées. Colotys est un homme juste et il te respecte beaucoup. Retiens ta colère. Ce n'est tout de même pas cela qui le fera quitter le pays!

— Mais cette fois, il en veut à nos filles!

— J'ai tout entendu à travers la cloison, et cela m'inquiète un peu. Ne prends que la plus âgée avec toi. Héra est une jeune femme résolue et saura se défendre si la situation s'envenime.»

Rumalia se releva, puis ajouta: «Ta sagesse est grande, mère. Je suivrai ton conseil.»

*

La forteresse du grand chef Colotys n'était qu'à une heure de marche environ du village de Rumalia. Du haut de la palissade, sur la passerelle qui permettait aux guetteurs de faire leur ronde autour de l'agglomération, on pouvait observer la silhouette sombre de la construction de pierre. Elle se dressait, menaçante, au bout d'une courte vallée, et semblait se fondre dans la colline rocheuse qui masquait partiellement l'horizon. C'était la demeure des maîtres thraces, ceux qui dominaient les villages et qui n'avaient, semble-t-il, qu'une seule occupation: les chevaux.

Pour l'occasion, Rumalia avait préparé le vieux chariot de bois qui, avec ses grandes roues pleines, servait surtout au transport des récoltes. Il était tiré par une paire de boeufs à la peau grise tachetée de noir, que Rumalia traitait avec grand soin. Ils exécutaient une foule de besognes qui exigeaient une grande force et Rumalia savait qu'ils étaient difficiles à remplacer. Ce jour-là, Héra était du voyage. Vêtue d'une tunique bordée de motifs géométriques en forme de W, elle portait un pendentif que sa grand-mère lui avait confié avant son départ. «C'est un objet précieux, ma fille, lui avait révélé la vieille femme. Il me vient de mon aïeule. Je te le confie maintenant. Garde-le jalousement et, à ton tour, tu le remettras à l'une des filles de tes propres filles.» En route pour le château sur le sentier rocailleux qui longeait les terres à blé, Héra fredonnait doucement, la main posée sur son pendentif en or dont les contours épousaient la forme stylisée d'une vache à cornes.

«Qu'est-ce qui te rend si joyeuse aujourd'hui?» demanda Rumalia, encore agacé par l'étrange requête du messager du maître du château.

La jeune femme se tut, désireuse d'éviter une discussion trop épineuse pour qu'elle l'aborde en toute franchise avec son père. Au fond d'elle-même, elle se réjouissait de cette visite inattendue au château; c'était un rêve qu'elle caressait depuis que, toute jeune, elle accompagnait les femmes aux champs et qu'elle apercevait au loin la mystérieuse et secrète demeure des maîtres.

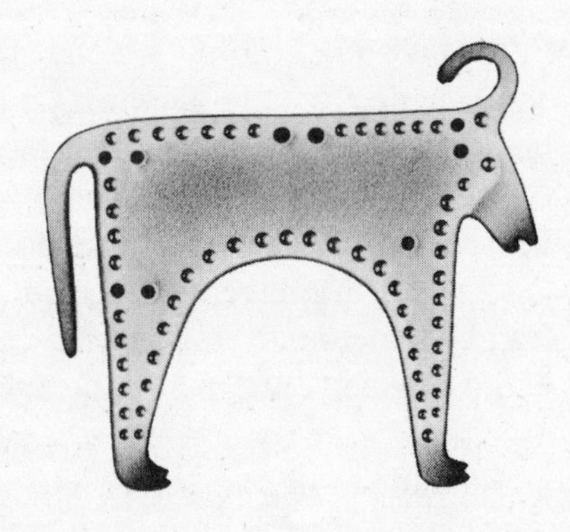

«Tu vois tout ce monde, Héra! Il en vient de partout. Les femmes sont nombreuses à la fête de cette année, avec toutes ces filles de chefs de villages.»

Arrivé près du mur de pierre qui ceinturait la forteresse, Rumalia donna un léger coup de baguette à l'un des boeufs et le chariot s'arrêta. Devant lui, d'autres chariots se pressaient dans le plus grand désordre à la porte d'entrée du mur, car les manoeuvres étaient difficiles à cause de la lourdeur et de la lenteur des bêtes. Lorsqu'elle franchit le portail qui conduisait à une vaste cour ouverte, Héra ne put retenir son admiration.

«Les dieux eux-mêmes ne possèdent pas une telle demeure!

— Ce n'est pas le moment de dire des sottises, rétorqua Rumalia, excédé par la naïveté et l'innocence de sa fille. Occupe-toi plutôt des agneaux.»

Comme les autres visiteurs, il rangea son chariot le long d'un mur, puis déposa sur le sol dallé de la cour divers présents qu'il avait apportés: miel, petits pains et quelques grands manteaux de laine.

«Tiens, voilà Maltia qui approche», dit Rumalia lorsque son vieil ami se dirigea vers lui, le visage soucieux.

«Tu as emmené tes filles?

— Euh! Oui... Héra est là... mais les autres sont malades... la fièvre du marais, je crois...

— Tu es trop méfiant, Rumalia. Cela risque de te coûter très cher cette fois.»

Alors que les retrouvailles allaient bon train un peu partout dans la cour, un son de cor retentit bruyamment et figea d'un coup les conversations qui commençaient à s'animer. Le Grand Chef était prêt à les recevoir. Rumalia ramassa ses présents alors que Héra guidait devant elle les deux agneaux soigneusement choisis par son père pour la beauté de leur toison. Une longue file se dessina et lentement les notables de la campagne pénétrèrent dans la salle où Colotys les attendait.

C'était une salle rectangulaire dont le haut plafond de bois donnait une impression de grandeur telle que Héra n'en avait jamais vue. Là où de longues fenêtres perçaient le mur de pierre et laissaient filtrer les rayons du soleil, elle aperçut les «maîtres». Une trentaine d'hommes se tenaient debout de chaque côté de Colotys. Chacun des chefs de clans était présent pour l'occasion. En tant que vassaux du grand chef, leur absence aurait été sévèrement punie par Colotys, chef incontesté que nul n'osait affronter, ni même contrarier. Le grand chef, assis sur un trône de pierre, dominait fièrement la scène. Héra le reconnut immédiatement à son abondante barbe rousse, image qui correspondait bien aux descriptions que son père lui avait faites.

«Que l'on apporte les agneaux!» ordonna Colotys.

Après un bref moment d'hésitation, Rumalia s'empara des bêtes puis, tandis que les autres chefs de villages imitaient son geste, vint les placer à quelques pas de Colotys, devant le trône.

«Tu as emmené tes filles, Rumalia? interrogea Colotys, une légère pointe d'ironie dans le ton.

— Héra m'accompagne, mais...

— Je te savais un homme juste et de parole, coupa aussitôt Colotys. Nous verrons cela plus tard.»

Se dressant brusquement sur ses jambes, il caressa sa barbe puis s'adressa à tous: «Que les cérémonies commencent!»

CHAPITRE 2

À l'intérieur de la salle du trône, chacun se tut et, sur l'ordre de Colotys, se choisit une place le long des murs de pierre. Un faible tintement se fit entendre au fond de la salle, venant d'une pièce adjacente. Une porte de bois sombre s'ouvrit sur un cortège de femmes. D'un pas lent et solennel, elles se dirigèrent deux par deux vers le centre de la pièce, un petit disque d'or dans chaque main en guise de cymbale. Le son cristallin des disques d'or frappés l'un sur l'autre rythmait leurs pas. À leur suite, vêtues de la même tunique blanche, la tête voilée d'un tissu très fin, quatre porteuses de vases d'or aux formes variées fermaient la marche. Héra observait attentivement la scène, émerveillée par un tel déploiement de grâce et de richesse. Un détail attira cependant son attention. Les quatre femmes voilées lui semblaient étranges. Leur démarche était plus lourde, leur corps plus imposant. Mais elle ne put poursuivre sa réflexion puisque Colotys s'était avancé vers le cortège. En sa qualité de grand chef et de grand-prêtre, il lui appartenait de prononcer les paroles sacrées du rituel: «Seigneur de la nature, Dionysos, toi qui donnes la vie et accordes la fertilité, reçois ces offrandes que nous déposons à tes pieds. Puisses-tu nous accorder une récolte abondante ainsi que toutes les douceurs de la vie.»

Les tintements des cymbales reprirent tandis que les femmes du cortège formaient un cercle autour des quatre porteuses. Colotys entra dans le cercle. La femme qui lui faisait face tendit les bras dans sa direction et exhiba un récipient triple en or ressemblant à trois grandes larmes, dont les faces internes étaient décorées de lignes concentriques en reproduisant la forme même. Chaque larme était percée d'un trou à la partie supérieure et reliée aux autres par un petit tube creux en argent. Colotys se tourna ensuite vers les porteuses de vases à grandes anses, saisit le premier, qui contenait du lait, et en versa dans la première partie creuse du triple récipient; dans la seconde, il déposa du miel et dans la troisième, du vin. Le grand chef souleva délicatement le vase aux trois offrandes et en fit couler le contenu dans un autre vase d'or qu'il leva vers le ciel au son des cymbales. Nul ne doutait que Dionysos entendrait leur appel et userait de sa mystérieuse force divine pour leur garantir de bonnes récoltes.

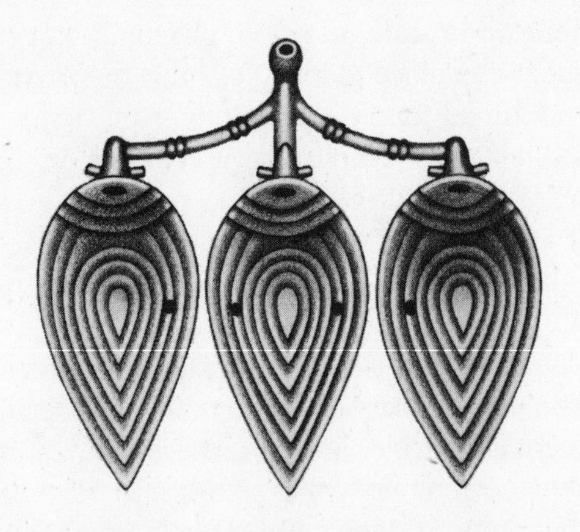

Rumalia poussa un soupir de soulagement mêlé d'un sentiment d'espoir secrètement adressé à Dionysos. Il savait que le dieu négligeait parfois ses devoirs et que la famine pouvait toujours s'abattre sur les villages de la vallée. Il se tourna vers Héra, qui suivait la cérémonie avec une intensité toute religieuse, et lui confia: «Il serait agréable que tu puisses un jour être prêtresse lors de la célébration des mystères de Dionysos. Je vais en parler à Colotys.

— Non, père, tu sais bien que seules les femmes des cavaliers détiennent ce privilège.

— Peu importe. Tu es la plus jolie femme du pays et je connais le goût de Colotys pour les jolies femmes. Il ne peut leur résister...

Puis, fronçant les sourcils, il ajouta: «Et c'est bien ce qui m'inquiète le plus.»

À nouveau, les cymbales résonnèrent dans la grande salle. Elles annonçaient la danse des prêtresses en l'honneur de la vie. Chacun s'installa sur le sol tandis que les maîtres du château prenaient place sur de longs bancs de pierre, à la gauche et à la droite de Colotys. Le cercle des prêtresses se reforma et, au son des tambours et des cymbales, se mit à tourner comme une roue. En même temps les femmes pivotaient lentement sur elles-mêmes, laissant glisser doucement leur voile. Peu à peu, leurs visages apparurent.

«Père! s'écria Héra d'une voix étouffée, abasourdie par le spectacle. Il y a quatre hommes parmi les prêtresses; ils sont vêtus comme des femmes!»

Rumalia chercha dans sa mémoire l'explication que lui avait jadis fournie Colotys en pareille occasion.

«Il s'agit d'une danse offerte à la Nature afin que les plantes, les animaux et les hommes puissent engendrer leur pareil. Des hommes habillés en femme, c'est l'union de la virilité de l'homme et de la fertilité de la femme.»

Héra n'écouta qu'à moitié les paroles savantes de son père, d'autant plus qu'elle pouvait maintenant observer le visage de ces hommes à la tête complètement dévoilée. L'un d'eux se retourna. Elle sursauta à la vue de cet homme blond à la barbe touffue: «Sadalas!» se dit-elle, surprise de trouver le fils du chef de tous les clans au milieu des danseurs. Elle comprenait maintenant pourquoi elle ne l'avait pas aperçu parmi les autres cavaliers du maître du château.

Une odeur de vin et de miel se répandit dans la salle. De nombreuses servantes versaient aux invités de généreuses portions de vin dans des coupes de bronze sans anse. La musique coulait et les danseuses continuaient à accomplir leurs mouvements subtils. Peu à peu, leur tunique s'ouvrit et dévoila les formes souples et gracieuses de leur corps: d'abord les épaules, ensuite la poitrine et, finalement, dans un dernier geste qui fit tomber leur tunique sur le sol, les hanches et les jambes. De longs rayons de soleil inondèrent d'une clarté chaude et éblouissante les corps qui se balançaient langoureusement au centre de la salle. Héra se sentit imprégnée de l'atmosphère de sensualité dans laquelle elle baignait pour la première fois. Elle ne quittait pas des yeux celui qu'elle avait reconnu et qu'elle rencontrait parfois lorsqu'elle se rendait aux champs. Son corps fut traversé de frissons et son coeur se mit à battre à tout rompre.

La musique diminua graduellement d'intensité et les prêtresses, accompagnées des quatre danseurs, se laissèrent choir délicatement sur le sol dallé. Pendant un long moment, personne ne bougea, puis Colotys fit un geste de la main. Aussitôt, les danseurs et les danseuses ramassèrent leur vêtement, puis se retirèrent en courant. Après avoir avalé d'un trait une dernière coupe de vin, le grand chef se leva et dévoila à tous son grand secret: «J'ai exigé la présence de vos filles pour une raison qui va en étonner plus d'un parmi vous. Vous savez que nos deux peuples vivent depuis longtemps séparés. Vous prenez femme dans vos villages et nous prenons femme dans nos châteaux. Mais nos coutumes nous permettent de choisir plusieurs épouses et vous avez plusieurs filles à marier.»

Rumalia sentit monter la colère en entendant ces dernières paroles. Colotys est vraiment décidé à nous prendre nos femmes! pensa-t-il. Il avait donc eu raison de trouver suspecte la requête présentée à tous les chefs de villages.

«Or mon fils Sadalas, continua pompeusement Colotys, a décidé qu'il allait épouser une femme en dehors du château. Il a même arrêté son choix. Je ne vous cacherai pas que je ne partage pas entièrement son idée d'épouser une fille de paysan. Mais je suis bon joueur. Que toutes les jeunes femmes s'avancent; je vais présider au choix de l'épouse de mon fils.»

Ce fut la consternation dans la salle. Jamais proposition semblable n'avait été faite par un maître thrace et la surprise était totale. Rumalia ne comprenait rien à l'affaire et flairait un piège. Héra sentait ses rêves s'écrouler et essayait de comprendre la manoeuvre dont elle et les autres jeunes femmes étaient les victimes.

«Sadalas, tonna Colotys en s'adressant à son fils qui revenait prendre place auprès de lui. Voici les jeunes femmes de nos chefs de villages. Elles sont toutes présentes. Alors, prends bien ton temps. Regardeles minutieusement. Rien ne presse, mon fils. Quand tu auras terminé, tu me feras part de ton choix. Je rendrai ensuite ma décision.»

Colotys connaissait déjà les préférences de Sadalas. Après maintes discussions, parfois très orageuses, il avait fini par accepter l'idée de son fils: introduire une fille de paysan dans son clan. Mais il voulait être absolument certain du choix de celui qui devait un jour lui succéder à la tête du clan familial. C'est pourquoi il avait organisé cette présentation publique afin que Sadalas puisse choisir parmi le plus grand éventail possible de «jeunes filles aux cheveux noirs». Colotys aussi était un peu las des femmes à la peau blanche et aux cheveux blonds du château et comprenait parfaitement les désirs cachés de son héritier. Du moins le croyait-il.

Sadalas s'avança de façon nonchalante vers les jeunes femmes qui s'étaient placées face au trône de Colotys et, pour satisfaire les caprices de son père, les examina une à une, lentement, sans prononcer un mot.

«Alors?» demanda Colotys qui commençait à s'impatienter.

Sadalas ne répondit point. Il continua sa marche et jeta un regard rapide sur Héra qui, humiliée par cette mise aux enchères, n'osait même pas regarder celui qu'elle chérissait secrètement depuis si longtemps.

«Tu as fait ton choix, mon fils?

— La voilà, répondit-il en levant le bras et en désignant Héra.

— Jamais! s'écria Rumalia. Il se fraya un chemin vers le trône en bousculant ceux qui se trouvaient sur son chemin. Jamais, Colotys. Jamais! Tu m'entends?»

Il saisit vigoureusement le bras de sa fille et la tira vers lui, puis quitta brusquement la salle sous les regards stupéfaits de Colotys et de ses invités.

CHAPITRE 3

Après l'incident du château, la vie au village reprit son rythme coutumier. Par prudence cependant, Rumalia avait restreint les allées et venues de Héra au seul village et à ses alentours. Pour sa part, Colotys, chef à l'autorité suprême au château, avait interdit à son fils Sadalas de revoir la jeune paysanne. Il avait prévu la réaction de Rumalia et, pour lui, cette affaire était close. La saison estivale tirait à sa fin. Les blés mûrissaient et l'excellente récolte qui s'annonçait laissait présager des mois d'hiver sans disette.

Rumalia supervisait les travaux de réfection du large fossé creusé autour du village, à l'extérieur de la palissade, lorsqu'il aperçut un homme courant à vive allure sur le sentier qui reliait le village et les champs. Il gesticulait et criait si fort que Rumalia et ses hommes s'arrêtèrent de travailler. L'homme s'approcha et Rumalia reconnut l'un des paysans du village voisin. Au terme de sa course épuisante, ce dernier annonça, à bout de souffle: «Les gens du château sont venus ce matin et ont emmené Maltia, notre chef.

— Qu'a-t-il fait? demanda aussitôt Rumalia.

— Je ne saurais le dire. Ils l'accusent d'avoir tué l'un des leurs.

— Impossible! lança Rumalia, Maltia est trop rusé pour s'empêtrer dans de telles histoires.

— Les cavaliers prétendent avoir trouvé le corps sur le territoire de notre village et soutiennent que le chef du village doit payer pour cette offense. C'est la coutume, disent-ils.

— Pourquoi aurait-on tué un cavalier du château? Ce sont nos maîtres. Ils nous protègent contre les brigands et les voleurs de troupeaux. Il s'agit peut-être d'un accident?

— Au village, tous jurent par la déesse Bendidaïn qu'ils ne savent rien et qu'ils sont innocents.

— Où le corps a-t-il été retrouvé?

— Il gisait dans son sang au sud de la palissade du village, dépouillé de ses armes et sans cheval. Après avoir été assailli quelque part au-delà des champs, le cavalier a probablement tenté de rejoindre l'entrée de notre village, comme en fait foi une longue traînée de sang. Les cavaliers affirment qu'il a voulu dénoncer ainsi ses meurtriers. Ils accusent donc notre village.»

Rumalia bouillait de colère; cette accusation lui paraissait bien hâtive. Il ordonna alors aux paysans de poursuivre leur travail de nettoyage et invita son interlocuteur à se reposer pour se rendre ensuite à d'autres villages. L'affaire était grave. Il fallait avertir les chefs de se tenir prêts pour une rencontre du conseil des villages. Quant à lui, Rumalia, sa décision était prise. Il allait se rendre sur-le-champ au château pour tenter de faire entendre raison à Colotys.

*

Le grand chef le reçut immédiatement. Il avait l'air très contrarié et, d'un geste nerveux, passait et repassait la main sur sa longue barbe. Pendant un long moment, silencieux, il mesura Rumalia du regard. L'autre demeurait impassible, attendant que Colotys lui adresse la parole.

«Alors, fit Colotys sur un ton qui voilait à peine son agressivité, tu viens pour ta fille?

— Non! Colotys, et tu le sais bien. Tes hommes ont emmené Maltia.

— C'est le prix du sang! explosa Colotys qui s'était levé brusquement. On ne tue pas impunément un cavalier. Sa mort doit être vengée et Maltia paiera pour son village.

— Laisse-moi voir Maltia, demanda alors Rumalia qui usait de tout son sang-froid pour ne pas exploser à son tour. Je veux connaître sa version des faits.

—À ta guise. Mais je t'avertis: ma décision est prise et, au coucher du soleil, Maltia sera empalé près des murs de la forteresse.»

Puis, se retournant vers une servante qui attendait, immobile, Colotys ordonna: «Va me chercher Sadalas. Il accompagnera Rumalia aux cachots.»

Quelques instants plus tard, les deux hommes traversaient, sans même se regarder, la cour du château et pénétraient dans un bâtiment de pierre réservé aux prisonniers. La torche du gardien ne diffusait qu'une faible lueur jaunâtre dans l'étroit corridor qui menait aux geôles. Une humidité lourde transpirait des pierres du couloir. Rumalia serra instinctivement sa tunique sur sa poitrine afin de se protéger de l'air fétide qui lui glaçait les os. Le gardien qui ouvrait la marche s'arrêta brusquement. Il éclaira une porte sur sa gauche et, d'une main, fit glisser la pièce de bois qui la tenait fermée. Rumalia pénétra dans la pièce obscure.

«Maltia, tu es là? demanda-t-il d'une voix inquiète.

Le gardien s'approcha, et la flamme de la torche révéla la forme d'un homme, écrasée dans un coin du cachot. Maltia détourna la tête devant la lumière puis répondit: «Rumalia, mon ami, pourquoi es-tu venu dans ce lieu terrible? Tu ne peux rien pour moi. Tu connais la loi du sang...

— Je n'ai que faire de la loi du sang! Tu n'as pas à payer pour la mort de ce cavalier. Il y a sûrement une explication. Je t'en conjure, Maltia, raconte-moi tout ce qui a pu se passer d'anormal ces derniers jours. La réponse est peut-être là!»

Tandis que Maltia fouillait les dédales de sa mémoire, Sadalas posa la main sur l'épaule du malheureux et ajouta: «Je n'aime pas tellement cette loi du sang. Dis-nous ce que tu sais et je te promets d'intervenir avec force auprès de mon père.»

En entendant ces paroles, Rumalia fut frappé par la douceur de sa voix et par la compassion qu'il manifestait soudainement envers Maltia.

C'est alors que Rumalia comprit le penchant de Héra pour le fils de Colotys. Sadalas était différent des autres cavaliers. Sa bonté lui inspira le courage d'aller jusqu'au bout pour sauver son vieil ami.

«Je suis certain que les hommes de mon village ne sont pas responsables de ce meurtre. Par contre, ces derniers jours, des hommes à cheval ont été vus à plusieurs reprises près de la forêt, aux abords de notre village, vers le couchant. Je crois que c'étaient des hommes de la tribu voisine, les Gètes. Mais leur présence n'est pas tout à fait inhabituelle. L'an dernier, j'en ai moi-même croisés quelques-uns au moment de la chasse et ils ne m'ont pas semblé particulièrement belliqueux.

— Il ne faut jamais se fier aux apparences, rétorqua Rumalia en se retournant vers Sadalas. Il vaudrait mieux vérifier.

— Rumalia a raison, ajouta Sadalas. Il me reste à convaincre mon père de surseoir à ton exécution et d'organiser une petite visite du côté de nos voisins. Sois patient, Maltia. Nous reviendrons.»

La porte du cachot tourna sur ses gonds et, précédés du gardien, Sadalas et Rumalia se retrouvèrent de nouveau dans la cour, à respirer profondément l'air frais et vivifiant qui soufflait fort en cette saison.

*

«Heureusement que Colotys a bien voulu t'écouter, dit Rumalia qui chevauchait auprès de Sadalas. Mais je trouve que tu as un peu exagéré en parlant des Gètes. Tu les a pratiquement accusés de brigandage et de pillage, alors qu'ils n'ont fait que passer dans les bois du couchant.

— Il me fallait un argument très puissant pour convaincre ce vieux lion. À nous de jouer maintenant.» Puis, après une légère pause, il ajouta: «Comment te sens-tu à cheval? C'est bien la première fois, n'est-ce pas?

— Je t'avoue que l'expérience ne me déplaît pas du tout... sauf que la bête se préoccupe beaucoup plus de galoper que d'assurer mon confort!

— Tu n'as qu'à suivre le mouvement avec ton corps et te laisser bercer. Après un certain temps, tu deviendras un bon cavalier.»

Rumalia fut flatté par la remarque de son compagnon de route. Au château, le cheval était le symbole même de la puissance, et Rumalia ne put que prendre plaisir à ce sentiment de force qu'en temps normal lui et les autres paysans ne pouvaient partager.

«Voilà la forêt, annonça Rumalia. Il serait plus prudent de poursuivre notre route à pied. De la sorte, nous pourrons y pénétrer sans attirer l'attention.

— C'est juste, d'autant plus que la nuit approche. Notre présence risque d'être perçue comme un acte d'agression par nos suspicieux voisins!»

Avec précaution, les deux hommes attachèrent les brides de leurs montures à un arbre, puis s'enfoncèrent prudemment dans la forêt déjà obscurcie par le crépuscule.

CHAPITRE 4

Rumalia n'était pas armé, mais Sadalas portait sur la hanche une longue épée de bronze au pommeau finement ciselé de motifs en spirale. Rumalia avait observé ces mêmes motifs sur les petites plaques d'argent du harnachement des chevaux. Sadalas tendit alors à son compagnon une courte dague et lui indiqua de la main des lueurs, au loin, à travers les arbres. À pas feutrés, ils s'approchèrent des sources lumineuses; il s'agissait de feux de camp. Derrière, dans la tiède clarté des flammes, des hommes vêtus d'armures discutaient vivement entre eux.

«Tout ça ne me dit rien de bon, murmura Sadalas, tapi derrière un bosquet. Les Gètes n'ont pas l'habitude de se balader en armes la nuit.

— Et pourquoi les armures? demanda Rumalia. Les cavaliers n'en portent pas lorsqu'ils partent pour la chasse.

— C'est vraiment la preuve qu'ils mijotent autre chose.

— Seraient-ils sur le point de nous attaquer?

— Une telle action m'étonnerait. Même si les Gètes n'ont jamais manifesté une grande amitié pour notre tribu, nous sommes tout de même liés à eux depuis longtemps par un traité de paix.»

Rumalia n'était pas rassuré. Il fit signe à Sadalas de rester sur place, puis, mesurant chacun de ses gestes, se glissa le plus près possible du camp des Gètes. À la faveur de la nuit, ces derniers ne purent voir la silhouette qui se mouvait silencieusement sur le sol. Levant doucement la tête, Rumalia les aperçut distinctement. Il en compta près d'une centaine, mais ne put malheureusement saisir l'objet de leurs conversations. Désormais convaincu qu'ils tramaient un mauvais coup, Rumalia rejoignit son compagnon.

«Ils sont nombreux, dit-il. Retournons au village. Je préfère donner l'alerte au cas où nous serions sur la liste de leurs prochaines victimes.»

Sur le chemin du retour, Sadalas décida d'aller prévenir les habitants des quelques villages situés dans les environs du camp des Gètes et de se rendre par la suite à la forteresse. Rumalia, sans perdre un instant, fouetta sa monture avec vigueur et orienta sa course vers son village.

*

«Que l'on ferme les portes de la palissade!» ordonna Rumalia, l'entrée à peine franchie. Puis il sauta de son cheval et ajouta sans plus d'explications: «Que tous les hommes se rendent à la palissade!»

Les paysans du village sortirent aussitôt de leur demeure et se mirent à courir en tous sens, les uns avec des arcs et des flèches, les autres munis de longues lances.

«Que se passe-t-il? demanda Héra, qui accourait vers son père, alertée par tout ce vacarme.

— Je crois que les Gètes sont sur le pied de guerre. Les récoltes sont avancées et ces démons sont peut-être à la recherche d'un butin facile.

— Tu as vu Sadalas? s'empressa de demander la jeune femme.

— Ne t'en fais pas pour lui. C'est un valeureux cavalier.»

Rumalia coupa court à la conversation et courut vers la palissade. Fixée à hauteur d'homme, une passerelle surplombait le fossé destiné à faire obstacle aux assauts sur le mur des pieux encerclant les maisons du village. À peine Rumalia eut-il réussi à se hisser sur l'étroit passage de bois que le bruit sourd d'une troupe au galop déchira la nuit. L'obscurité était totale et amplifiait l'horreur que les hommes du village ressentaient devant cette cavalcade inhabituelle. La tension monta. Rumalia espérait de tout son être que ces chevaux soient ceux de la forteresse. Mais il savait que Sadalas n'avait pu faire l'aller-retour en si peu de temps. Rumalia se cramponna à son arc et se prépara à défendre chèrement sa vie.

Le bruit des sabots qui martelaient brutalement le sol durci du sentier se rapprocha. Les hommes de la passerelle virent, au loin, une longue flamme s'élever vers le ciel.

«C'est du côté du village de Maltia, lança quelqu'un.

— En voilà une autre! cria l'homme qui se trouvait près de Rumalia. Cette fois, c'est dans la direction du village de Terral.

— Ils nous attaquent tous en même temps, par petits groupes. Tenez-vous prêts car notre tour approche», déclara Rumalia.

Puis, se tournant vers la cour intérieure du village, il ordonna aux femmes et aux enfants de remplir des seaux d'eau et de se tenir prêts à éteindre les feux.

«Les voilà!

— Ils allument des torches!

— Envoyez les flèches vers ceux qui portent les torches!»

En quelques instants, la campagne retentit de cris sauvages signalant le début des hostilités. Rumalia cherchait désespérément à deviner la stratégie des Gètes, lorsqu'un des hommes de la passerelle lui lança: «Je ne vois qu'une trentaine d'hommes avec leur armure, nos flèches ne pourront pas causer de grands dommages.

— Ils veulent nous avoir par le feu, constata Rumalia, puis nous massacrer sur place les uns après les autres. Que la moitié d'entre vous reste sur la passerelle. Les autres, occupez-vous des feux.»

Des flèches enflammées fendirent l'air et vinrent se planter sur la paroi extérieure de la palissade. Immédiatement, des hommes, de la passerelle, tentèrent d'éteindre les flammes qui se répandaient rapidement, mais les assaillants décochèrent sans délai une nouvelle volée de flèches, transperçant ceux qui avaient osé se montrer à découvert. Les Gètes étaient d'habiles guerriers. Ils encerclèrent le village à toute vitesse et envoyèrent leurs flèches de feu sur le toit des maisons. Le puits du village n'était malheureusement pas en mesure d'éteindre l'incendie et les flammes gagnèrent du terrain. Devant le désastre imminent, Rumalia convoqua les membres du conseil.

«Il ne nous reste qu'une issue, avoua-t-il aux hommes qui se pressaient, anxieux, autour de lui. Tenter une sortie avant qu'il ne soit trop tard. Si nous formons une masse compacte, nous pourrons peut-être désarçonner les cavaliers et en abattre un grand nombre avant qu'ils ne se rendent compte de notre manoeuvre. Il nous faut absolument gagner du temps. Les hommes du château vont sûrement venir à notre rescousse...

— Il est déjà trop tard, dit l'un des hommes dont les vêtements étaient déchirés et couverts de suie. Les flammes ont gagné presque toutes les maisons et plusieurs des hommes qui se trouvent sur la passerelle sont morts.

— Peu importe, rétorqua Rumalia. Jamais nous ne serons leurs esclaves! Et nous ne nous laisserons pas davantage égorger comme des bêtes vouées au sacrifice. Jamais! S'il nous faut mourir, aussi bien débarrasser la terre du plus grand nombre possible de ces vils Gètes!»

Ces dernières paroles ravivèrent le courage des hommes du village. Sans attendre, ils se placèrent près des portes de la palissade, prêts à bondir sur les assaillants. Rumalia se mit à leur tête et, à son signal, les portes du village s'ouvrirent brusquement. Serrés les uns contre les autres selon les directives de leur chef, les hommes du village se ruèrent sur les cavaliers qui se trouvaient devant eux, frappant hommes et chevaux à coups de lance. La surprise fut totale. Le désarroi s'empara des Gètes qui virent plusieurs des leurs tomber sous les coups des hommes de Rumalia. Malheureusement, cette victoire fut de courte durée. Les cavaliers se ressaisirent puis, comprenant la tactique de leurs ennemis, formèrent deux lignes d'attaque. Ils délaissèrent leurs arcs pour dégainer leurs terribles épées et se préparèrent au carnage.

Au loin, la campagne avait l'air d'être en feu. Tous les villages des environs brûlaient, et dans l'obscurité mystérieuse de la nuit, les cris des mourants montaient vers les dieux, témoins impassibles du malheur des hommes.

CHAPITRE 5

Conscient de l'issue fatale du combat, Rumalia ordonna à ses hommes de se retirer vers ce qui restait de la palissade afin de protéger ceux qui, à l'intérieur, vivaient encore. Au moment où les Gètes s'apprêtaient pour une dernière charge meurtrière, un autre groupe de cavaliers fit irruption.

«C'est la fin, murmura Rumalia. Les autres Gètes qui se mettent de la partie.»

Une grande clameur s'éleva et le choc brutal des armes de bronze indiqua à Rumalia et à ses compagnons l'arrivée tant attendue des maîtres du château. Ils se jetaient dans la bataille avec une vigueur sans pareil. Aux yeux des Gètes, le combat était devenu trop inégal. Tandis que certains d'entre eux déposaient les armes sans hésitation, les autres profitaient de la nuit pour disparaître au galop.

Rumalia quitta alors le réduit où il s'était retiré avec ses hommes. Encore sous le choc de la courte mais féroce bataille qu'il venait de livrer, il s'approcha de Sadalas qu'il avait reconnu parmi les cavaliers du château.

«Colotys n'est pas avec vous?

— Il était avec moi il y a un instant.

— Nous avions vu juste, Sadalas. Les Gètes nous ont attaqués de toutes parts.

— Je sais. Les autres villages semblent avoir subi le même sort. Je crains que nous arrivions trop tard.»

Sur cette phrase, les cavaliers du château laissèrent à Rumalia la garde des prisonniers et s'enfoncèrent à leur tour dans la nuit, vers les villages voisins.

*

Lorsque l'aube se leva enfin et que les premiers rayons du soleil éclairèrent la campagne meurtrie, Rumalia fut à même de constater l'ampleur du désastre qui avait si brutalement frappé son village. La plupart des maisons avaient été détruites par le feu et plusieurs corps, hommes, femmes et enfants, gisaient çà et là. Les uns tombés sous les flèches des Gètes, les autres brûlés par les flammes de l'ennemi. Heureusement, la famille de Rumalia avait été épargnée. Le chef du village n'avait pu retenir ses larmes à la vue de ses deux épouses et de sa fille Héra fouillant les décombres de sa demeure.

Les heures passèrent. Les survivants avaient fini par éteindre les dernières braises et, exténués par tous ces événements, s'étaient assoupis les uns après les autres. Certains avaient préféré la protection bien illusoire du village; d'autres, suivant l'exemple de Rumalia, s'étaient installés près du sentier, à l'extérieur des murs. Rumalia allait s'endormir lorsqu'il sentit le sol vibrer. Il sursauta puis, se dressant brusquement sur ses jambes, vit revenir au loin les cavaliers du château. Les chevaux allaient d'un pas lourd et les cavaliers, la tête basse, montraient des signes évidents de fatigue. Rumalia reconnut Sadalas qui ouvrait la marche, tenant à la main la bride d'un cheval sans cavalier. Bientôt, il se rendit compte que la monture portait le cadavre d'un homme placé en travers de la selle. «Les maîtres aussi peuvent mourir», pensa Rumalia. Sadalas confia la bride au cavalier qui le suivait et, frappant son cheval sur les flancs, partit au trot en direction de Rumalia.

«Un de nos hommes est mort, dit-il, parvenu à la hauteur de Rumalia. C'est Colotys. Un Gête lui a transpercé la gorge d'un coup de lance.»

Rumalia reçut la nouvelle comme un coup de foudre sur le crâne. Il baissa la tête, déchiré par la mort de celui qui avait été plus qu'un maître pour lui. Sadalas s'informa du sort de Héra, mais n'insista pas davantage. Toujours à la tête de la troupe, il poursuivit sa route en direction de la forteresse.

*

Le lendemain, tous les habitants des villages furent convoqués à la forteresse. Sadalas, qui avait immédiatement remplacé le grand chef défunt à la tête des clans du château, avait ordonné la construction d'une demeure funéraire pour son père Colotys. La réponse des paysans fut immédiate. Ils acceptèrent avec respect de fournir les efforts requis pour construire une digne demeure d'éternité au grand Héros. Il y avait longtemps qu'une telle oeuvre n'avait été entreprise et les plus jeunes se réjouissaient secrètement de participer à l'édification d'une tombe royale semblable à celles que les plus anciens décrivaient avec maints superlatifs.

L'emplacement choisi se trouvait hors des murs, au bas de la colline. On creusa d'abord une grande fosse rectangulaire. Rumalia dirigeait cette partie des travaux en compagnie de Médistas, l'un des frères de Sadalas. Pendant ce temps, une équipe de bûcherons travaillait dans la forêt afin d'y tailler de longues et solides poutres de bois devant servir à ériger la grande salle funéraire. Au début de l'après-midi, les matériaux étaient rassemblés et les menuisiers commencèrent à élever la charpente de bois qui reposait directement sur le sol, au fond de la fosse. En quelques heures, l'édifice prit forme et, avant le coucher du soleil, le pignon était installé.

«Tout sera prêt pour les cérémonies qui auront lieu demain à l'aube», conclut Médistas, faisant signe à Rumalia de le suivre au château.

Ce dernier acquiesça de la tête puis, sans un mot, suivit Médistas jusqu'à la salle où reposait le corps de Colotys. L'atmosphère était à la fête. Pour les cavaliers, le défunt Colotys était devenu un Héros, un cavalier éternel qui ne devait plus jamais mourir. Près de lui, les femmes du défunt grand chef se disputaient le droit de l'accompagner dans l'au-delà, coutume que Rumalia n'avait jamais réussi à comprendre.

«Pourquoi vouloir mourir à tout prix? demanda Rumalia à Sadalas qui observait la scène avec un certain sourire.

— La favorite de Colotys a décidé qu'elle accompagnerait son époux dans la mort, mais les autres lui disputent cet honneur. Elles aussi souhaitent partager la vie éternelle avec Colotys!

— Comment s'effectuera le choix?

— Cette fois-ci, il n'y aura pas de problème. La favorite peut user de son privilège de première épouse et les autres devront se plier à sa volonté.»

Sur une grande table de bois placée au centre de la pièce, des servantes déposaient sans cesse des dizaines et des dizaines de vases de toutes sortes qui étincelaient des feux de l'or, de l'argent et du bronze. Les objets personnels de Colotys reposaient auprès de lui; on y ajouta ses armes et son armure.

*

À l'aube, le cortège funèbre se mit en branle. Le corps de Colotys était porté par ses fils et suivi par l'épouse favorite du Héros. Derrière marchaient les chefs des clans vassaux, portant armure et casque de bronze. Les autres cavaliers, également parés de leurs armes, fermaient la marche. Lorsque les hommes du château franchirent l'enceinte de la forteresse, les paysans rassemblés purent enfin contempler le spectacle étonnant qui se déroulait devant eux. Rumalia et Héra attendaient près de la maison funéraire, alors que le cortège s'approchait de l'entrée. À l'intérieur, vers le fond de l'unique pièce, on avait déposé deux grandes dalles de pierre sur le sol. Elles devaient servir de lits aux époux défunts. Les fils royaux placèrent délicatement le corps de Colotys sur la dalle de gauche, puis Sadalas ordonna que les objets du Héros soient à leur tour déposés dans la pièce. C'était un trésor fabuleux, digne d'un grand chef, et Rumalia ne put s'empêcher de penser que, jadis, avant la venue des cavaliers, l'or des dieux leur appartenait, à eux, les paysans. À travers l'ouverture du tombeau, Rumalia assista à l'acte final de la mise au tombeau du grand Colotys. L'épouse favorite s'approcha du lit resté vide et, après une brève hésitation, s'étendit sur la pierre froide.

Puis, saisissant la dague que lui présentait Sadalas, elle enfonça brusquement la courte lame dans sa poitrine, à la hauteur du coeur. Elle poussa un grand cri et, pendant quelques instants, son corps fut agité de secousses qui inspirèrent à Rumalia un profond dégoût.

Lorsque la porte de la demeure funéraire fut scellée, Rumalia fit signe aux équipes d'ouvriers d'avancer avec leurs chariots. Ils déversèrent leur chargement de terre. Graduellement, sous l'oeil attentif de Sadalas, la maison funéraire de Colotys disparut sous un immense amas de terre et de pierres. Au bout de quelques jours, une petite colline artificielle s'élevait à l'endroit où Colotys et son épouse favorite partageaient désormais leur destinée pour l'éternité.

Vers la fin de la même année, Rumalia accepta finalement d'accorder la main de sa fille Héra au grand chef Sadalas. Après les nombreux événements qui avaient frappé la communauté, Rumalia avait abandonné sa rancoeur contre les cavaliers, et le bonheur de sa fille avait fini par l'emporter sur ses vieux préjugés. Malgré l'insistance répétée de Sadalas et de Héra, il se refusa toujours à quitter son village pour vivre au château. Il préférait la vie simple des paysans, même si, aussi souvent que son travail le lui permettait, il chevauchait en compagnie des cavaliers du château... activité réservée aux maîtres de la forteresse.

CHAPITRE 6

Tandis que les premières journées chaudes du printemps faisaient fondre la neige dans la campagne, Héra montait chaque jour au sommet de la tour de garde du château. De là, elle dominait totalement la vallée. Chaque matin, elle gravissait l'interminable volée de marches de pierre taillée et, des hauteurs, scrutait minutieusement l'horizon en direction de l'est. Elle y restait parfois de nombreuses heures, à humer l'air encore frais qui transportait les parfums de la nouvelle saison. Elle espérait découvrir au loin les premiers signes de l'arrivée des «hommes du sud». Chaque matin, déçue de ne rien voir apparaître, elle redescendait l'escalier extérieur de la tour et reprenait sa lourde tâche de favorite royale. Elle réussissait ainsi à oublier pendant quelques heures ce qu'elle attendait avec tant d'impatience. Certes, ses deux fils, Taroutin et Mopsuestis, étaient déjà des adultes, mais ses petits-enfants étaient nombreux et, en tant que grand-mère, c'est elle qui avait la main haute sur leur éducation. Le grand chef Sadalas et les autres cavaliers étaient rarement présents à la forteresse. Ils passaient la majeure partie de leur temps à la chasse, ou encore à poursuivre les quelques brigands qui rôdaient sans arrêt dans les campagnes à cette époque de l'année. Pour Héra, les distractions étaient peu fréquentes, mais la venue de ces «hommes du sud» l'aidait à oublier les interminables journées d'hiver dans les pièces humides et froides de ses appartements mal chauffés.

Au moment où elle s'apprêtait à faire sa petite ronde quotidienne, le son du cor retentit à travers le château. Elle se précipita dans la cour et, faisant fi de son âge avancé et de son manque d'agilité, elle s'élança vers la plate-forme de la tour de garde. Son coeur bondissait dans sa poitrine et un large sourire éclairait son visage à peine ridé.

«Vous les avez vus?» demanda-t-elle, à bout de souffle, aux soldats qui se trouvaient au sommet de la tour.

Les deux hommes pointèrent le doigt en direction de la barrière d'arbres qui bordait l'horizon vers l'est.

«Sans nul doute, répondit celui qui tenait une longue lance à la main. J'ai compté une dizaine d'hommes et, comme à l'habitude, ils sont accompagnés de lourds chariots.

— Que l'on ouvre immédiatement les portes du château, ordonna-t-elle. Ils seront là dans moins d'une heure et je meurs d'impatience de voir ce qu'ils nous apportent cette année.»

D'une fenêtre qui donnait sur la cour, Héra put facilement observer l'accueil presque triomphal réservé aux voyageurs. La cour s'était brusquement animée et les habitants du château avaient tous abandonné leurs occupations pour saluer les visiteurs. Lorsque Héra traversa la cour en direction du chef de convoi, les bavardages cessèrent momentanément, et l'on s'écarta pour laisser passer l'épouse favorite de Sadalas.

«Sois le bienvenu, Chromis le commerçant! dit-elle en s'approchant de l'homme qu'elle connaissait depuis de nombreuses années. Que nous réserves-tu, cette année?

— Que la déesse Bendidaïn t'apporte santé et longue vie, Héra! répondit l'homme en saluant respectueusement de la tête. Nos chariots sont pleins, comme tu peux le constater. Nous transportons des objets depuis les plus lointains pays et même, au-delà des grandes mers. Mais pour toi, j'ai des vases fabuleux, comme tu les aimes. Ils proviennent d'une contrée mystérieuse où vivent ceux qui se font appeler «Achéens».

— C'est un nom bien étrange, Chromis. Tu as visité ce pays des Achéens?

— Non! Les vases m'ont été rapportés par un autre commerçant de la côte... un Cicone, je crois.

— Fais-les porter dans la salle du trône. Et n'oublie pas les bijoux. Sadalas saura te récompenser royalement pour les merveilles que tu nous apportes.»

*

Le passage des commerçants avait subitement plongé le château dans une ambiance de fête. Connaissant le goût effréné de ses hôtes thraces pour les objets de luxe, Chromis transportait de place en place des vases et des bijoux qui rivalisaient en grâce et en finesse avec ceux des artisans locaux. Il offrait également des parfums, des vêtements soyeux, et quelquefois des pierres précieuses, telle la cornaline. Tous y trouvaient leur compte puisque Chromis repartait, après quelques jours, avec des objets échangés sur place ou avec des morceaux d'or et d'argent tirés du trésor du grand chef.

Lorsque Sadalas revint au château entouré de ses deux fils et de son escorte composée de ses principaux vassaux, il régnait une activité fébrile dans la grande salle du trône. Près de l'immense foyer de pierre, des serviteurs s'affairaient à la cuisson d'un large quartier de boeuf alors que d'autres disposaient coupes et assiettes sur les lourdes tables de bois. Des torches fixées aux murs avaient été allumées et faisaient mystérieusement danser tout ce qui se trouvait dans la salle. Peu à peu, les hommes et les femmes du château prirent place, Chromis et les autres commerçants occupant une table installée tout près de celle qui était réservée à Sadalas et aux chefs de clans.

«Que l'on apporte la viande», ordonna Sadalas.

Deux serviteurs s'emparèrent du quartier de boeuf et, après l'avoir dépecé en larges pièces, les apportèrent à Sadalas. Celui-ci saisit une courte épée et, d'un geste sûr et rapide, les fractionna à nouveau en portions. Il les distribua à ses convives, impatients d'attaquer la pièce de résistance du frugal repas.

Alors que le festin tirait à sa fin et que la salle résonnait des rires et des éclats de voix amplifiés par les effets subtils du vin, un des cavaliers s'approcha de Sadalas. Il portait une courte tunique lui tombant à mi-jambe. Son visage impassible coupa court aux discussions de Sadalas et de Chromis sur le prix des objets apportés au château.

«C'est demain que vous devons envoyer un messager à Zalmoxis, dit le jeune homme, planté droit devant Sadalas. Tu sais que tous les quatre ans, l'un des initiés est choisi pour ce grand voyage. Le moment est venu. Le soleil du printemps est monté dans le ciel et le départ est prévu pour demain.

— Rassemble les initiés, répliqua Sadalas. Je procéderai moi-même au tirage au sort, conformément au désir du grand Zalmoxis.»

*

Le lendemain, au moment où le soleil atteignait son point culminant, une foule nombreuse s'était rassemblée aux environs du tertre funéraire de Colotys. Au fil des ans, l'herbe avait recouvert le tumulus et seul un muret de pierres plates, ceinturant le tombeau, rappelait la nature du lieu. La foule s'était rassemblée et les initiés se tenaient à l'écart, accompagnés de Sadalas. Devant eux, trois hommes tenaient chacun une longue javeline, prêts pour la cérémonie du départ du messager. Celui-ci venait de vider un rhyton d'argent rempli de vin, et son corps paraissait secoué de soubresauts nerveux qui n'avaient pas échappé à l'oeil attentif du chef thrace.

«Tu vas rejoindre le grand Zalmoxis, déclara-t-il pompeusement. Et tu verras tous nos Héros qui rayonnent avec le soleil. Sois brave et vaillant!»

Le messager releva brusquement la tête, puis écarta les bras en croix. C'était le signal. Le silence tomba sur la foule, et quatre des initiés s'approchèrent de leur compagnon, choisi par le sort pour représenter la communauté auprès de la divinité. Ils s'emparèrent chacun de l'un des membres du messager alors que les trois porteurs de javeline enfonçaient solidement leur arme dans le sol, l'une près de l'autre, la pointe tournée vers le ciel. Les initiés renversèrent le messager de Zalmoxis sur le dos, puis se mirent à le balancer vigoureusement dans un mouvement de va-et-vient toujours plus ample. Sadalas leva la main et le corps du messager vola dans les airs pour venir s'échouer ensuite sur la pointe des javelines qui lui transpercèrent la poitrine. Lorsqu'il s'écroula sur le sol, la foule se rapprocha du malheureux messager. Celui-ci vivait encore. C'est alors que Sadalas lui confia les messages à porter à Zalmoxis, l'immortel Héros. Quelques instants plus tard, le corps du messager cessa de bouger. Il venait de quitter les hommes pour le grand voyage...

«Sa mort démontre sa pureté et son courage», s'empressa de dire Sadalas, soulagé qu'un seul homme soit sacrifié cette fois-ci. Il lui répugnait de recommencer la cérémonie lorsqu'un premier messager ne mourait pas immédiatement. Il n'avait cependant pas d'autre choix. C'était en effet le seul moyen d'éviter que la colère de Zalmoxis ne se déchaînât contre celui qui lui aurait délégué un homme mauvais et impur.

CHAPITRE 7

L'air du matin était encore frais et le cheval de Sadalas piaffait d'impatience. Ses muscles puissants se gonflaient sous sa peau luisante de sueur, attendant le moment où son maître relâcherait les brides. C'était le signal que l'animal guettait pour reprendre sa course à travers les champs et brûler ainsi son trop-plein d'énergie. Pour Sadalas, ces moments grisants passés seul à galoper avec sa monture semblaient le plonger dans cet univers mystérieux des Héros éternels où il irait un jour rejoindre ses ancêtres. Il aimait rêver de cette existence qui l'attendait après la mort. Lorsqu'il se promenait, solitaire, loin des préoccupations du quotidien, il laissait voguer ses pensées et ses émotions les plus intimes vers ce monde merveilleux, qu'il imaginait sans douleur ni détresse.

Parvenu à la petite source qui coulait en toute saison à la limite ouest de ses terres, il descendit de cheval. Au moment où il allait se pencher pour se désaltérer, il leva machinalement la tête. Une épaisse colonne de fumée noire montait vers le ciel, du côté de la forteresse. Au même instant, le son grave du cor résonna longuement dans la campagne. Sadalas enfourcha aussitôt son cheval et s'élança en direction du château. Il traversa les terres en friches de l'ancien village de Rumalia et emprunta le sentier qui menait à la forteresse. Déjà il distinguait des cavaliers qui accouraient à sa rencontre. Lorsque le plus rapide d'entre eux arriva à sa hauteur, il tira violemment sur la bride de sa monture. L'animal arrêta net sa course et se cabra en pivotant sur ses pattes arrière.

«Des cavaliers sont arrivés de la Grande Eau, annonça le jeune homme qui ne pouvait cacher son énervement. Ils sont au château et ils demandent à discuter avec le maître de la forteresse.»

Sadalas poussa un cri rauque et cravacha sa monture, qui prit aussitôt le galop. La nouvelle avait quelque chose d'inquiétant. Les cavaliers qui vivaient en bordure de la mer ne s'aventuraient jamais si loin à l'intérieur des terres. Les marchands itinérants faisaient le voyage une fois par an, mais il ne se souvenait pas avoir entendu son père lui parler des cavaliers de la Grande Eau.

Il passa à vive allure l'entrée de la forteresse où l'attendaient les mystérieux visiteurs. Autour d'eux, les vassaux de Sadalas discutaient ferme. Un jeune écuyer s'approcha et saisit la bride que lui tendait Sadalas.

«Qui sont ces visiteurs? demanda-t-il aussitôt à l'un des vassaux qui s'était avancé vers lui.

— Ce sont des cavaliers de la tribu des Édones, seigneur.»

Le plus grand d'entre eux, vêtu d'une simple tunique et chaussé de bottes de cuir, s'approcha de Sadalas et le salua respectueusement de la tête.

«Nous sommes venus de la mer, ô grand chef Sadalas. C'est notre roi, Rhésos, qui nous envoie. Nous sommes porteurs d'un message très important pour tous les grands chefs des terres intérieures.

— Suivez-moi au château, ordonna Sadalas. Je vais prendre connaissance de votre message. Ensuite, vous pourrez manger et vous reposer. La route a dû être très longue.

— Nous remercions le grand chef de sa bonté. En effet, nous avons mis deux jours entiers à parcourir les campagnes jusqu'ici. Et notre voyage n'est pas encore terminé.»

Sadalas monta les quelques marches qui menaient à la porte principale du château et, à travers un long couloir plongé dans une demi-obscurité, marcha d'un pas rapide et nerveux vers la salle du trône. Suivaient les visiteurs édones et les cavaliers du château, remplissant le couloir de l'écho sourd de leurs pas.

Lorsque Sadalas eut pris place sur son trône, entouré des chefs de clans, les trois Édones s'approchèrent.

«Je me nomme Istos, fit celui qui, dans la cour, s'était adressé à Sadalas. Je suis le fils du grand Rhésos et il me prie de vous transmettre ceci: «Une dure bataille se déroule présentement dans le pays de la Troade. Cette contrée se trouve au sud et est dominée par la grande cité fortifiée de Troie. Or, depuis plusieurs années, elle subit les attaques répétées de troupes bien organisées, dirigées par l'Achéen Agamemnon. S'ils s'emparent de la ville des Troyens, ces brigands envahiront nos mers et saccageront nos côtes. Rhésos fait appel à tous les peuples frères afin qu'ils se liguent avec lui pour refouler les Achéens et leurs vils alliés hors de la Troade. C'est ainsi que parle Rhésos, le roi des Édones.»

Sadalas était stupéfait. Un monde nouveau et lointain venait de se révéler à lui et faisait soudain éclater les limites étroites de son propre univers.

«Qui sont ces Troyens? demanda-t-il.

— Ce sont de vaillants guerriers et d'habiles commerçants. Tous les peuples des côtes sont leurs alliés. Troie est une sorte de bastion qu'il faut à tout prix défendre afin d'arrêter la poussée des Achéens. Sans Troie pour leur barrer la route, ils poursuivront plus avant leurs mouvements de piratage et leurs razzias, et nos côtes seront à leur merci, sans oublier la menace qu'ils feront peser sur les tribus des terres.

— Comment puis-je apporter mon secours? Mes guerriers sont certes de rudes combattants, mais je ne peux laisser mes villages et mes terres sans défense.

— Rhésos souhaite que tous les grands chefs établissent une trêve entre eux. Que chacun laisse sur place une troupe équivalente et que le reste de vos armées se rende sur la côte. Là-bas, des navires attendent de vous conduire à la forteresse des Édones.»

Plus la discussion avançait, plus Sadalas se sentait envahi par une fièvre qu'il n'avait pas ressentie depuis très longtemps. Ses vassaux s'étaient eux aussi laissés prendre au jeu de la guerre. Ils lançaient avec fébrilité leurs questions et leurs commentaires sur la grande bataille qui faisait rage dans la lointaine Troie, comme s'ils avaient déjà accepté d'y participer. L'atmosphère devint très agitée et les cavaliers s'enflammaient à la perspective d'affronter l'ennemi. N'étaient-ils pas d'abord et avant tout des guerriers?

«Je crois que je n'ai nul besoin de demander l'avis de mes vassaux, Istos. Comme tu le vois toi-même, mes guerriers sont déjà prêts.»

Sadalas se leva, fit quelques pas dans la salle. Dégainant son glaive, il le brandit haut dans les airs et s'écria: «Pour Troie! Pour Rhésos! Pour les Héros thraces!»

Tous les cavaliers présents en firent autant et répondirent aux cris de guerre de leur grand chef: «Pour Troie! Pour Rhésos! Pour les Héros thraces!»

*

Dans les jours qui suivirent, la vie du château fut complètement bouleversée. Des messagers arrivaient et repartaient aussitôt afin de régler les conditions de la trêve que tous les grands chefs de la région avaient facilement acceptée après la visite des émissaires de Rhésos. Les vassaux de Sadalas rassemblaient leurs hommes et surveillaient les préparatifs compliqués du départ. Taroutin, le fils aîné de Sadalas, s'était vu confier la tâche de sortir les chars de guerre remisés dans la salle des armes du château. Ils étaient démontés; les pièces qui les composaient furent chargées sur les chariots, avec les réserves d'armes: flèches, lances, piques, boucliers, peltas et armures des chefs de clans.

Moins de dix jours après qu'Istos eut présenté la requête de son père Rhésos, l'armée de Sadalas se mit en branle. Elle était formée de huit groupes de cavaliers, ayant chacun à leur tête l'un des vassaux de Sadalas. Quelques paysans avaient également été mobilisés afin d'assurer le transport du matériel et de la nourriture. En tout, près de deux cents hommes et autant de chevaux. Le grand chef de tous les clans avait laissé la garde du château à son second fils, Mopsuestis, et à une vingtaine de ses guerriers parmi les plus âgés. Héra, impassible sur la haute tour du château, regarda s'éloigner ceux qui partaient si sereinement à l'aventure et qu'elle ne reverrait peut-être plus jamais...

CHAPITRE 8

L'attente paraissait interminable. Durant plusieurs jours, une violente tempête força les troupes thraces à retarder leur départ vers Troie, qui se trouvait à deux heures de navigation environ de leurs campements. Ces derniers s'étaient multipliés comme des champignons au pied des murailles de la forteresse de Rhésos et on pouvait entendre résonner le bruit presque incessant des armes. Profitant du délai imposé par un temps peu clément, les guerriers de Sadalas et des autres grands chefs thraces exerçaient leurs muscles et combattaient avec leurs piques et leurs glaives. Les vents se calmèrent et le bras de mer qui les séparait de la terre des Troyens, cette mystérieuse Troade, parut enfin plus accueillant. Sur la plage, les guerriers se pressèrent près des navires et y embarquèrent leurs bagages et leurs montures.

C'est ce moment précis que choisit Rhésos pour quitter sa forteresse et descendre sur la plage, en grande pompe, à la tête de ses guerriers. Il montait un superbe cheval blanc qui marchait au trot, la tête haute et l'oeil farouche. Sadalas observait la scène avec une secrète admiration, enclin à croire que Rhésos devait être l'incarnation vivante du divin Héros des Thraces. Il était ébloui par l'armure d'or, finement ciselée, qui lui recouvrait la poitrine et par son casque, également d'or, qui étincelait de mille éclats sous le soleil. Les hommes s'écartèrent en silence et admirèrent leur chef à tous, élu pour la durée de cette guerre contre les Achéens et leurs alliés.

«Suivez les ordres de vos chefs, clama Rhésos, dominant la foule du haut de sa monture. Mort aux Achéens!»

Une clameur sauvage s'éleva sur la plage et des cris fusèrent de partout, encouragés par le mot d'ordre lancé par Rhésos.

«Aux bateaux!» fit aussitôt Sadalas aux chefs de clans qui l'accompagnaient. «Faites monter dix chevaux et trente hommes par navire! Et restez groupés! Je suis loin d'apprécier ces voyages en mer et je préfère que nos navires ne s'éloignent pas trop les uns des autres.»

Vers midi, les longs navires creux et peints en noir de la flotte de Rhésos cinglaient vers les côtes de la Troade. Mus à l'aide d'une voile unique, les navires étaient légers et faciles à manoeuvrer. À bord, les guerriers maniaient eux-mêmes les rames de bois de sapin. Sadalas s'était placé sur le pont arrière où se tenaient le timonier et le capitaine. Il était plongé dans un silence rempli de terreur à la vue d'une aussi grande étendue d'eau. À cheval, sa bravoure était sans égale. Mais sur l'eau, il avait l'angoissante sensation de perdre ses moyens et d'être à la merci des forces obscures et maléfiques des dieux de l'onde.

*

Les navires avaient d'abord longé la côte vers le sud puis, brusquement, les capitaines avaient changé de cap et orienté la proue recourbée de leurs embarcations à travers un mince détroit. De l'autre côté s'étendait la Troade. Le vent soufflait faiblement et les rameurs durent redoubler d'ardeur pour atteindre la plage choisie pour le débarquement.

«Pourrons-nous bientôt apercevoir Troie? demanda Sadalas au capitaine qui s'efforçait de faire descendre la voile devenue inutile.

—La cité du roi Priam se trouve sur la droite. Si la brume se lève, tu la verras, au fond de la plaine, là-bas.»

Sur la plage, des hommes casqués et armés de lances se préparaient à accueillir les troupes venues prêter main-forte au roi des Troyens. Les navires glissèrent doucement sur le sable mouillé par les vagues, puis les guerriers entrèrent dans l'eau jusqu'à la ceinture et les tirèrent hors de l'eau. En peu de temps, hommes et bêtes avaient gagné les abords de la plaine, prêts à rejoindre le camp des alliés des Troyens. Sadalas avait rassemblé ses hommes en une seule colonne et s'était posté avec les autres grands chefs à la gauche de Rhésos. L'ordre de marche fut donné et le millier de guerriers s'ébranla, en colonnes parallèles, vers la grande cité fortifiée.

À travers la brume qui, lentement, se dissipait sous l'effet d'un vent léger de la mer, apparut une chaîne de collines dominant la plaine verte sans arbres. Elles s'avançaient, tel un éperon dont la pointe semblait vouloir transpercer la mer. Majestueuses et rassurantes, les murailles de Troie s'élevaient sur un étroit plateau rocheux qui formait la partie avancée de la pointe montagneuse. En bas du plateau, des centaines de tentes, protégées par une simple palissade, indiquaient la position du campement principal des alliés de Troie.

À l'approche du camp, un guerrier en armes se présenta devant Rhésos et sa troupe.

«Soyez les bienvenus, alliés thraces, déclara l'homme, maniant avec quelques difficultés la langue de ses nouveaux compagnons d'arme. Priam, notre roi, désire tenir un conseil de guerre en présence de tous les commandants de troupes. Vous devrez me suivre dès que vos hommes seront installés dans leurs campements.

— Faites dresser les tentes», ordonna Rhésos.

Les grands chefs transmirent l'ordre à leurs vassaux, et sans plus attendre, partirent vers la cité, guidés par le guerrier troyen. Un sentier tortueux et abrupt, juste assez large pour laisser passer un cheval à la fois, donnait directement accès au plateau. Une fois arrivé sur le promontoir rocheux, Sadalas put mesurer l'ampleur de l'imposante muraille de pierres ajustées qui assurait la défense de la ville. Au côté ouest, elle était flanquée d'une tour carrée d'une hauteur d'au moins deux fois celle de sa propre forteresse. Sadalas fut envahi par une impression étrange: celle d'être subitement devenu l'un des personnages de ces légendes que les conteurs racontent pour distraire les guerriers entre deux batailles.

Les battants de l'immense porte de bois de la forteresse s'ouvrirent à l'approche de Rhésos et des commandants thraces. À l'intérieur, dans une grande cour qui, en temps normal, servait de place du marché, la foule des citadins s'était massée pour manifester sa joie de voir arriver une troupe à l'allure aussi fière. Un homme vêtu d'une longue tunique blanche recouverte d'un épais manteau de feutre bleu-gris les reçut. Sadalas reconnut qu'il s'agissait d'un homme important à son agrafe en or, qui tenait le manteau fermé à la hauteur de la poitrine. Il descendit de sa monture et abandonna son cheval aux écuyers qui s'étaient faufilés parmi les cavaliers.

«Je me nomme Hector, dit l'homme, qui paraissait n'avoir que vingt ans et parlait parfaitement la langue des Thraces. Mon père vous attend sur la muraille.

—Où sont vos soldats?» s'inquiéta Sadalas, qui n'avait pas manqué de remarquer l'absence de guerriers à l'intérieur des murs de la ville.

«Ils ne sont guère nombreux pour l'instant. Les Achéens mènent contre nous une guerre d'usure qui a entraîné la mort d'un grand nombre de nos plus valeureux guerriers. Quant au reste, vous les rencontrerez plus tard à leur retour de mission.»

*

À peine montés sur le chemin de garde de la muraille, les chefs thraces furent conduits sur le côté ouest des fortifications. Hector les précédait de quelques pas et, voyant son père venir à lui, pivota sur lui-même et déclara: «Voici Priam, le roi de Troie.»

Sadalas pencha respectueusement la tête devant l'homme dont il respectait déjà le courage et la détermination. À ses yeux, la valeur d'un guerrier ne se mesurait que par le courage et la foi profonde en ses idéaux. Et tout ce que Rhésos avait raconté au sujet de Priam correspondait à cette image de l'homme droit et juste.

«Voilà nos ennemis, fit Priam, en levant le bras pour indiquer l'horizon. Le camp des Achéens et de leurs alliés, les Myrmidons et les Hellènes, se trouve là-bas, sur la côte, près du détroit. Même si l'ennemi est incapable d'assiéger notre ville, il contrôle de là-bas toutes les voies de communication. Depuis qu'ils sont là, à nous narguer, ils lancent sans relâche des opérations de piraterie contre les navires qui tentent d'accoster à Troie.

— C'est pour parer à cette éventualité, fit Hector, que nos guerriers ont été envoyés en manoeuvre de diversion au moment de votre arrivée sur la côte.

— Nous avons mené plusieurs batailles dans la plaine, ajouta Priam, mais chaque fois, la victoire nous a échappé.

—Pourquoi ne pas attaquer directement leurs retranchements? demanda Rhésos.

— Les guerriers d'Agamemnon et d'Achille étaient trop nombreux. Mais je crois qu'avec vos troupes fraîches, nous serons maintenant en mesure de forcer leur campement fortifié.

—Que les dieux de Troie et tous nos Héros nous en donnent la force et le courage! lança Rhésos. Moi et mes commandants, nous saurons aisément éliminer de la terre cet ennemi audacieux qui s'accroche impunément à un pays qui n'est pas le sien.»

CHAPITRE 9

C'était une nuit sans lune. Seules scintillaient les étoiles, minuscules petits cristaux aux reflets dansants et glacés. Derrière la palissade, les guerriers cherchaient nerveusement un sommeil qui leur échappait. Jeunes et vieux, tous étaient possédés par le même désir de combattre. La bataille était prévue pour le lendemain à l'aube. Sadalas savait qu'il était vain de lutter contre cette anxiété fébrile qui s'empare du guerrier à la veille du combat. Il avait donc quitté le confort rudimentaire de sa tente et déambulait d'un feu de camp à l'autre, prodiguant quelques paroles d'encouragement aux hommes qui veillaient sur le campement.

Sentant la fatigue le gagner, le guerrier décida de réintégrer sa tente. Comme il soulevait la peau de loup qui lui servait de porte, un bruit sourd lui parvint, provenant de la tente de Rhésos qui jouxtait la sienne. Sadalas tendit l'oreille et perçut un deuxième bruit. Les muscles tendus, il s'approcha aussitôt de la tente du roi. Des râlements lugubres déchirèrent la quiétude de la nuit. Sadalas se précipita, l'arme au poing, dans l'ouverture béante de l'abri et découvrit une scène horrifiante. Deux hommes avaient pénétré dans l'abri de toile et s'acharnaient à frapper de leur glaive les vassaux édones qui accompagnaient leur roi. Quant à ce dernier, il gisait dans son sang, la gorge tranchée. À la vue du carnage, Sadalas fonça à l'intérieur de la tente et fit voler son épée en tous sens. L'un des assaillants essaya vainement de parer les coups violents que Sadalas, furieux, dirigeait contre lui. Il tomba sur les genoux, le crâne fracassé. Dans le désordre de la bataille, l'autre guerrier s'empara des armes et de la cuirasse en or de Rhésos et s'esquiva habilement. Enfourchant le cheval blanc du roi, il s'enfuit au galop dans l'obscurité profonde de la nuit.

«Alerte! s'écria Sadalas en tentant vainement de rattraper le fuyard.

—Que se passe-t-il? demanda Taroutin, le fils de Sadalas, encore hébété par un réveil si brusque.

—Des Achéens ont trompé la vigilance des gardes du camp et, à la surprise de tous, ont massacré Rhésos et plusieurs de ses vassaux.

—Les traîtres! Ils n'osent même pas nous affronter au grand jour, dans un corps à corps loyal où se mesure la valeur du guerrier!

—Ils paieront pour cet acte méprisable. Donne l'alarme et que tous les grands chefs se rassemblent devant la tente de l'infortuné Rhésos!»

L'attaque surprise des Achéens fut loin de provoquer l'effet de découragement qu'ils avaient escompté. Rhésos mort, les grands chefs thraces nommèrent un nouveau commandant. Sadalas avait prouvé son courage et chacun reconnut en lui celui qui saurait les venger de la mort ignoble de leur chef. Sans plus attendre, Sadalas s'adressa à ses guerriers, réunis pour recevoir les ordres en vue de la bataille:

«Vous connaissez maintenant votre ennemi. Il est capable de tuer sans merci. Dès l'aube, chars, cavaliers, archers et fantassins vont se lancer à l'assaut du camp retranché. Nous devons atteindre la plage de l'ennemi et incendier tous ses navires. Par cette manoeuvre, toute retraite par la mer leur sera impossible. Chacun aura droit, dans cette bataille, au butin de ses ennemis morts. Par Bendidaïn, je vous en donne ma parole!»

La réaction fut immédiate. Fouettés par les paroles énergiques et décidées de leur chef, les guerriers se ruèrent vers leur tente et se saisirent de leurs armes. Peu avant l'aube, les phalanges s'étaient formées à l'avant de la palissade et attendaient l'ordre de départ. Sadalas avait revêtu sa cuirasse de bronze et ses jambières à tête de femme, fixées à l'arrière des jambes par de fines courroies de cuir. Son casque, également de bronze, dont les côtés se terminaient par un large garde-joue, était solidement fixé sur sa tête grâce à de courtes lanières de cuir attachées sous le menton. Armé d'une lourde lance de frêne et d'une épée ornée de clous d'or et d'argent, il monta sur son char dont le joug était attaché à deux chevaux. Auprès de lui, sur la plate-forme, son écuyer tenait solidement les rênes et, sur l'ordre de Sadalas, vint prendre position au centre des troupes. Jetant un regard rapide autour de lui, Sadalas constata que ses guerriers, immobiles et le visage durci par le désir de vengeance, n'attendaient plus que son signal.

Lorsque les premières lueurs de l'aube commencèrent à pâlir, les chars de Sadalas, mêlés à ceux des alliés phrygiens et méoniens, se mirent en route. Sur sa gauche, la cavalerie thrace était sous le commandement d'Euphémos, un Cicone. Elle avait pour mission de balayer les troupes ennemies qui pourraient avoir le temps de sortir du camp des Achéens et de se masser devant leurs fortifications. Taroutin, qui préférait de loin combattre à cheval, avait choisi d'accompagner Euphémos et de le seconder. Sur la droite, les fantassins avançaient en rangs serrés, leurs lances pointées vers l'avant, protégeant leur corps de leur pelta. Ils étaient dirigés par Peiroos, un grand chef thrace venu de l'autre côté de la Troade, vers le nord-est. Derrière les chars, Sadalas avait placé les archers sous le commandement de Pandaros, un allié thrace dont le pays se trouvait à proximité de celui des Troyens.

Les Achéens n'eurent guère le temps de réagir avant que ne surgissent les premiers chars. L'effet de surprise fut total. Une dizaine de guerriers, portant leur bouclier en forme de «huit», furent rapidement bousculés et les fuyards abattus sur place. Stimulé par ce premier assaut, Sadalas ordonna aux chars de continuer leur charge vers les portes du camp. Il avait cependant sous-estimé la profondeur du fossé entre la plaine et la palissade. Plusieurs chars s'y fracassèrent et leurs occupants furent projetés violemment au sol. Sadalas descendit de son char et, montant l'un des chevaux libérés du joug, fonça à vive allure et traversa le fossé, suivi d'Euphémos et de ses cavaliers.

Les Achéens s'étaient ressaisis. Une volée de flèches s'abattit sur les premiers cavaliers qui avaient atteint les portes de la palissade et toucha mortellement plusieurs d'entre eux. Leur gilet de cuir ne les protégea pas contre les terribles projectiles. Les premières phalanges de fantassins traversèrent à leur tour le fossé, malgré les lances et les javelines

ennemies qui pleuvaient sur eux par vagues successives. Bientôt, dans un craquement dont le bruit effroyable soulagea Sadalas, les portes du camp furent enfoncées, laissant passer les premiers cavaliers d'Euphémos.

Une clameur monta et une odeur de sang et de poussière se répandit dans l'air. Les Achéens reculaient en rangs serrés, leurs longues piques tenant à distance hommes et bêtes. Sadalas s'aperçut qu'il lui était fort difficile de faire manoeuvrer ses troupes à l'intérieur du camp. Il aurait souhaité prendre les guerriers achéens à revers, mais la cavalerie ne progressait que très lentement à cause des tentes et des chars qui couvraient le terrain du camp ennemi.

«Faites avancer les fantassins et les archers, cria-t-il.

—Nous sommes coincés entre leurs piques et la palissade, fit Euphémos, qui tentait de rejoindre Sadalas.

—Nous devons briser leur résistance à coup de flèches et de lances.

—Les archers ne peuvent passer, s'empressa d'ajouter Euphémos, visiblement inquiet. Ils sont encore à l'extérieur des murs.»

La stratégie défensive rapidement adoptée par Agamemnon semblait porter ses fruits. Tandis que Sadalas et Euphémos cherchaient vainement à briser l'étau dans lequel l'avant-garde de leurs troupes s'était engagée, les Achéens avaient massé leurs guerriers derrière les piqueurs et s'apprêtaient à refouler les cavaliers et les quelques fantassins qui avaient réussi à envahir le camp. Sadalas devina la manoeuvre et ordonna à Euphémos de sonner la retraite. Il allait amèrement regretter cette décision. Un vent de panique s'empara sur-le-champ des troupes de Sadalas, qui ne comprirent pas la tactique. À l'extérieur de la palissade, dans la plaine, les commandants, croyant que leur chef avait été tué, donnèrent à leur tour le signal de la retraite.

Aux portes du camp achéen, la bataille fit rage pendant de longues minutes. Désarçonnés, les cavaliers, qui se trouvaient nombreux à l'intérieur du camp, se regroupèrent autour de Sadalas, de Taroutin et d'Euphémos. Dégainant leur glaive à deux tranchants, ils se préparèrent au corps à corps avec les guerriers ennemis qui avançaient impitoyablement vers eux. Soudain, une volée de javelines partit du centre des lignes achéennes, visant les chefs thraces. L'une d'elles trouva sa cible et Taroutin s'écroula face contre terre, la poitrine transpercée. Sadalas se précipita, arracha d'un geste violent l'arme qui avait cloué son fils au sol et tenta de soulever celui-ci pour le porter hors du camp. Les chevaux et les hommes se bousculaient dans le plus grand désordre et Sadalas ne put s'emparer du corps de son fils. Devant les Achéens qui progressaient toujours et dirigeaient, menaçants, leurs longues piques vers lui, il recula. Grâce à l'intervention rapide de Pandaros, une troupe d'archers vint se placer face à l'entrée du camp. Ajustant leurs flèches avec précision, ils décochèrent une pluie de projectiles sur les rangs avancés des Achéens qui ralentirent leur assaut. Sadalas et les cavaliers d'Euphémos en profitèrent pour quitter le camp ennemi et rejoindre les troupes qui n'avaient pas encore pris la fuite.

Lorsque tous ses hommes furent enfin hors de portée du tir ennemi, Sadalas se retourna vers Euphémos qui arrivait vers lui en titubant légèrement, le bras gauche couvert de sang. Une large entaille à l'épaule laissait voir les chairs déchirées par le coup de hache qui avait failli lui être fatal.

«Monte derrière moi, lui lança Sadalas en tendant la main à son compagnon d'arme.

—Mes hommes sont presque tous morts, répondit celui-ci en respirant profondément pour chasser la douleur qui le faisait atrocement souffrir.

—Nous reviendrons, Euphémos... Et cette fois, nous ferons un grand bûcher de leurs corps!»

CHAPITRE 10

Des hauteurs de la muraille, Priam et son fils Hector surveillaient avec consternation la retraite de leurs alliés devant les Achéens. Pendant un moment, les manoeuvres de Sadalas avaient soulevé des tollés de joie et suscité l'espoir des habitants de Troie. Maintenant, la plaine s'était couverte de guerriers en déroute devant un ennemi qui s'était contenté de les refouler hors de son camp retranché.

«Les Achéens ne passent même pas à l'offensive! s'écria Hector, rempli d'une sourde colère.

—Agamemnon est sage, fit Priam. Il ménage ses troupes et préfère consolider son camp.

—Il faut reprendre l'offensive...

—Inutile, coupa alors Priam d'une voix calme, presque résigné. Ta fougue te perdra, mon fils. Tire plutôt une leçon de cette défaite!

—Je souhaiterais que mon père m'en fournisse l'explication, car je déduis de cette piètre offensive que nos alliés ne sont guère à la hauteur de leur réputation!

—Nos armées ne pourront vaincre que dans la plaine, dans une bataille rangée. Il faudra donc trouver le moyen de forcer les Achéens à quitter leurs retranchements. C'est à toi, mon fils, que je confie la tâche délicate de mettre au point un plan judicieux pour qu'Agamemnon accepte enfin de nous affronter à découvert. Sinon, je crains...

—Ce sera fait! affirma Hector. Je brûle de me mesurer avec ce pirate et de rétablir la gloire et la grandeur de Troie.

—Va, mon fils! Rassemble les meilleurs commandants et réconforte nos troupes en déroute!»

Non loin de là, appuyé sur le rebord du muret de pierre couleur sable qui protégeait le chemin de garde de la muraille, un homme, vêtu d'une armure de bronze, suivait en silence le drame qui se déroulait dans la plaine. Énée avait été de toutes les batailles avant la venue des alliés thraces à Troie. Ses prouesses ne se comptaient plus depuis que les Achéens, trois ans plus tôt, avaient pris pied sur les rivages de la Troade. Mais lorsque Priam avait annoncé, dans la salle d'audience du palais, que ses alliés thraces avaient accepté de se joindre à Troie et de mettre un terme à cette guerre qui n'en finissait plus, il avait été écarté. Hector lui reprochait sa trop grande fougue et son manque de prudence, qui avait entraîné la mort inutile de tant de Troyens. Mais lui, Énée, n'avait-il pas obtenu la main de la propre fille de Priam, la tendre Créüse? L'affront lui était insupportable. Il se devait d'agir pour éliminer celui qui faisait obstacle à son ambition: la succession de Priam sur le trône de Troie!

*

«Nous ne reviendrons pas sur notre décision, annonça Pandaros.

—Mais les Achéens ne sont pas invincibles! fit alors Sadalas sur un ton sarcastique. Nous n'avons même pas eu la chance de nous battre aujourd'hui.

—Je ne tiens pas à perdre mes hommes dans des escarmouches sans promesse de butin, ajouta provocant, l'un des grands chefs gètes, dont les sujets étaient voisins de ceux des terres de Sadalas.

—Nous non plus, s'écrièrent d'autres guerriers en quittant la tente qui servait de lieu de réunion.»

Devant l'ampleur de son nouvel échec, Sadalas se retourna vers ceux qui acceptaient de continuer la lutte et déclara: «Nous allons demander à Priam de recevoir nos troupes à l'intérieur des murs. De cette façon, nous ne risquerons, cette nuit, aucune attaque surprise de la part des Achéens. Que l'on envoie un messager auprès du grand roi.»

Priam acquiesça sans hésitation. Il ne souhaitait pas qu'un nouvel incident se produise. Lorsque le soleil disparut à l'horizon, la ville entière, exténuée et désemparée, se prépara à sombrer dans le sommeil...

*

«Attendez encore avant d'allumer vos torches!

—Es-tu certain, Agamemnon, qu'«il» ne t'a pas tendu un piège?

—Je le crois sincère. D'ailleurs, sa demande est tout à fait raisonnable: nous prenons la ville et nous le nommons roi, sous notre juridiction.

—Mais cet Énée ne me dit rien de bon.

—C'est un risque à courir... Dis aux hommes de tenir leurs armes loin des parois rocheuses de la poterne. Le bruit pourrait attirer l'attention des gardes troyens.»

Les guerriers d'Agamemnon avaient facilement découvert l'entrée du couloir secret qui passait, du côté sud de la grande porte, sous la muraille de la ville invaincue. Les renseignements qu'avait divulgués Énée en échange du trône de Priam étaient justes. Agamemnon s'était engagé à prendre la ville, sans toutefois la soumettre au pillage, et à proclamer la ville «achéenne», en retenant toutefois les services d'Enée comme roi client. Selon ce dernier, Troie pourrait redevenir, comme autrefois, une grande cité marchande et s'intégrer plus facilement à l'Empire achéen de la lointaine Mycènes.

La poterne donnait directement dans un petit bâtiment adjacent au palais de Priam. Comme dans toutes les grandes villes fortifiées de la région, les rois se ménageaient toujours une sortie de secours, au cas où leur ville serait prise par un éventuel ennemi. Agamemnon fit avancer l'avant-garde de ses hommes à l'intérieur du bâtiment. De là, ils se répandirent à l'intérieur du palais. D'autres suivirent, avec pour mission de s'emparer des portes de la ville et de les ouvrir aux troupes qui s'étaient silencieusement massées à l'extérieur.

À l'intérieur de la ville, dans les rues désertes et les maisons où les lampes étaient depuis longtemps éteintes, personne ne remarqua l'ombre des guerriers achéens qui se préparaient à l'assaut final. Les premières clameurs provinrent du palais. Des gardes de Priam avaient vu fondre sur eux les hommes d'Agamemnon et défendaient la vie de leur roi avec fureur et acharnement. D'autres cris suivirent, autour des portes, puis dans les rues, dans les petites allées étroites et sinueuses, dans les maisons, les cours... Agamemnon avait décidé que Troie vivait ses dernières heures. Faisant fi de ses promesses, il ordonna à ses hommes de piller la ville et de la réduire en cendres. Ses murs devaient être démantelés et la population réduite à l'esclavage... du moins ce qu'il en resterait! Quant à Priam, Hector et l'ignoble Énée, il fallait les éliminer sans pitié. Pour Agamemnon, la mort de tous les chefs troyens était le seul moyen d'empêcher que la ville ne renaisse un jour de ses cendres.

Un peu partout, des maisons brûlaient. Sadalas, dont les quartiers se trouvaient près de la porte ouest, avait rapidement rassemblé ses vassaux et leurs hommes. À la faveur de l'obscurité, ils se faufilèrent sans peine vers la grande porte. En débouchant sur la place, ils se heurtèrent à une troupe d'Achéens qui arrivait au pas de course de l'extérieur de la ville.

«Serrez les rangs!» ordonna Sadalas, qui voyait soudainement sa retraite compromise.

En un bloc compact, les guerriers de Sadalas purent non seulement briser l'assaut des Achéens, mais, au bout de quelques minutes d'un rude corps à corps, la plupart d'entre eux atteignirent sans encombre les rebords rocheux du plateau. Les Achéens avaient presque ignoré les fuyards et préféraient se livrer au saccage de la ville qui leur avait résisté pendant de si longues années.

«À la plage, tous! lança Sadalas, persuadé que tout danger était écarté. Nous allons descendre vers la plage et prendre immédiatement la mer.»

Courant à travers la plaine, guidés par les reflets de la lune sur la surface peu agitée de la mer, Sadalas et ses guerriers arrivèrent enfin, complètement exténués, aux navires. Ils mirent quelques embarcations à l'eau puis, tels des maudits poursuivis par des spectres sanguinaires, s'éloignèrent de la côte. Pendant des heures, tandis que ses hommes battaient la mer de leurs rames dans le plus grand silence, Sadalas fixa l'immense brasier qui indiquait l'emplacement de l'orgueilleuse Troie. Les flammes qui s'élevaient haut dans le ciel tel un sacrifice offert aux dieux, faisaient périr bien plus qu'une ville. Sadalas avait tout perdu: son fils aîné, son honneur de guerrier, ses espoirs de butin et tous ses chevaux.

*

Sans capitaine pour guider leur route, les hommes de Sadalas mirent plusieurs semaines à retrouver l'univers calme et familier de leur pays. Longeant de très près les côtes, les guerriers purent ainsi survivre sans trop de peine grâce à la pêche et même, à l'occasion, à la chasse dans les forêts qui se trouvaient sur les côtes proches. Puis, un matin d'été, une troupe de guerriers misérables et en haillons déboucha dans la vallée dominée par la forteresse hospitalière qui hantait depuis si longtemps leur esprit et leur coeur. Après d'interminables hésitations, les gens du château finirent par se convaincre que les hommes qui approchaient comme une bande de brigands prêts à la curée avaient jadis été la valeureuse troupe de guerriers partant glorieusement vers la lointaine Troie.

Héra n'accepta jamais le terrible sort subi par son époux et la mort de son fils Taroutin, dont le corps n'avait même pas été enterré selon les coutumes du pays. Quelques jours à peine après le retour douloureux de Sadalas, elle fut terrassée par une fièvre violente et mourut dans de terribles convulsions.

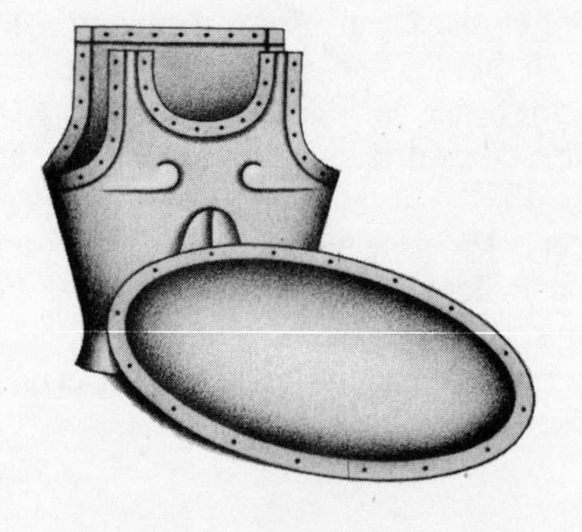

QUATRIÈME PARTIE

Désordre dans la colonie

CHAPITRE PREMIER

«Ralentis la cadence, Xanthias! Tu vois bien que nous fonçons droit sur le quai!»

Surpris par la voix sévère d'Hippias, le capitaine émergea brusquement de la rêverie où l'avait plongé la vue de la foule grouillante et bigarrée qui s'agitait sur la rade, transformée en zone de mouillage pour les navires marchands. Il ordonna aux rameurs de freiner. D'un coup de la rame qui lui servait de gouvernail, il fit ensuite pivoter le lourd et large navire vers la gauche, qui glissa lentement sur l'eau et s'immobilisa à quelques verges du quai de pierre et de son appontement de bois.

«Allons, Acamas, tu ne peux nier que ce voyage aller-retour à Milet a été superbe, lança Hippias, d'un ton empreint d'une ironie taquine à peine camouflée. Par Poséidon, nous n'avons même pas essuyé de tempête!»

Le commerçant riait de toutes ses dents, car son ami thrace avait toujours refusé ses pressantes invitations à prendre la mer avec lui vers la grande et illustre métropole de l'Ionie. Depuis de nombreuses années, à l'instar de son défunt père, l'un des premiers Grecs à coloniser la région, Hippias et sa flotte marchande de trois navires faisaient régulièrement la navette entre Milet et Apollonia. Cette dernière, dont le père d'Hippias avait été l'un des fondateurs, était merveilleusement située: la côte, d'accès facile, entourait une petite baie naturelle où les navires accostaient sans danger. La ville proprement dite s'élevait à courte distance de la mer sur une partie de la plaine fertile qui avait d'abord attiré les colons dans cette région. Ses murs lui servaient de protection mais s'avéraient en fait inutiles. Dès les premiers contacts, la population thrace des environs avait entretenu d'excellentes relations avec les étrangers. Anténor, le père d'Acamas, qui contrôlait les terres intérieures et en tant que chef de plusieurs clans de la tribu des Odryses, n'avait pas hésité à laisser son fils adopter la langue et les habitudes de vie des Grecs de la côte.

«Avec tout ce que tu rapportes de Milet, tu vas certainement réaliser de bonnes affaires, fit Acamas en traversant le pont pour atteindre la plate-forme de débarquement.

—Les cales transportent suffisamment d'amphores de vin pour saouler tous les habitants de la ville pendant au moins un mois!»

Vêtu d'une tunique blanche qui lui tombait à la hauteur des genoux, Acamas, tout comme son ami le commerçant, portait à la taille une ceinture de cuir. Sur sa poitrine tombait un petit pendentif en or à la forme stylisée de vache cornue. Il le tenait de sa grande aïeule qui le lui avait confié à la mort prématurée de la jeune mère d'Acamas. Nombre de ses ancêtres avaient péri lorsque, voilà très longtemps, les clans de sa tribu avaient été forcés d'émigrer vers le sud, au-delà des montagnes, à cause des envahisseurs qui s'étaient emparés de leurs terres. Comme le rapportent les conteurs de son pays, les vieux clans s'étaient intégrés à la grande tribu des Odryses qui occupaient alors cette vaste région accueillante et fertile au sud des montagnes de l'Hémus. Le grand-père de son père avait par la suite érigé des forteresses le long de la côte et, avec l'arrivée des étrangers grecs, la vie de son peuple s'était ouverte sur un monde nouveau qu'Anténor n'avait pas manqué d'apprécier.

Depuis sa plus tendre enfance, Acamas avait fréquenté les riches familles grecques de la ville. Son père avait même engagé l'un de leurs réputés pédagogues afin de lui assurer une éducation «à la grecque». Aussitôt que la liaison commerciale permanente s'était établie entre la nouvelle ville d'Apollonia et sa métropole Milet, les marchands locaux étaient devenus de véritables ambassadeurs entre les deux populations. Les marchandises thraces et grecques s'étaient mises à circuler et Aca-

mas était devenu un personnage important dans ces échanges économiques qui avaient fini par lier solidement les deux peuples d'amitié.

«Que fais-tu des présents offerts au temple d'Héraclès par Thrasybule, le tyran de Milet? demanda soudainement Acamas.

—Je m'occupe d'abord de descendre à terre les amphores de vin et d'huile d'olive. Trouve le capitaine et dis-lui de transporter sur le pont arrière le paquet qui contient le rhyton et la phiale destinés au temple. Je dois remettre les précieux objets à Aristos.

—Le gouverneur de la ville?

—En personne. N'oublie pas que Thrasybule tient à ce que nous respections le décorum. Tous les mêmes, ces tyrans! Leurs largesses ne doivent jamais passer inaperçues!

—Cette fois-ci, il s'est surpassé! Des objets en argent massif laqué or pour le culte d'Héraclès...

—Oui, je sais... Tu aurais sûrement préféré les rapporter à ton père.

—Pas la phiale. Il possède déjà une collection complète de vases à libation. Mais pour le rhyton, c'est une autre histoire. Mon père a un faible pour ces vases à boire en forme de corne. Il en possède déjà plusieurs. Certains ont la pointe en forme de tête de bélier, d'autres en forme de buste de cheval. J'avoue que les orfèvres grecs de la ville abusent un peu de son penchant pour le luxe.

—Bah! Tu hériteras de tout cela un jour...

—Tu oublies, cher ami, que les chefs thraces emportent dans leur tombe leurs biens les plus précieux!

—Vos coutumes sont parfois très étranges, Acamas. Mais peu importe! Toi, au moins, tu as su choisir entre la vie des barbares et la civilisation...»

Hippias n'avait pas mesuré la portée de ses dernières paroles qui blessèrent profondément son ami. Acamas baissa la tête et ramassa ses effets, qui traînaient sur le pont à l'arrière du navire. Puis il quitta le navire avec précipitation, sans mot dire. Hippias tenta de le retenir, balbutiant maladroitement quelques mots d'excuse, mais Acamas feignit de ne rien entendre et descendit la passerelle qui menait au quai. Il fendit la foule bruyante qui se massait autour des marchandises fraîchement débarquées et s'enfonça dans les rues étroites d'Apollonia.

La demeure d'Aristos, gouverneur d'Apollonia, s'élevait près de la grande place publique située du côté nord de la ville, à quelques pas du temple d'Héraclès. Hippias en connaissait tous les recoins, car son père avait naguère occupé la fonction de membre du conseil de la ville et en avait maintes fois décrit tous les détails. Accompagné de Xanthias, le capitaine de son principal navire, Hippias se présenta devant le portail de la maison d'Aristos. À l'entrée, un jeune esclave était appuyé contre le mur de pierre rectangulaire et se laissait nonchalamment dorer le visage par le soleil brûlant de l'été.

«Va annoncer à ton maître qu'Hippias, le fils de Poos, désire le rencontrer.»

Puis se retournant vers Xanthias, il ajouta: «Tu as bien vérifié le paquet?

—Je n'ai même pas eu à le déballer! Son poids m'a suffi.

—Aristos vous attend, annonça le jeune homme, qui s'était acquitté de sa mission. Mon maître vous prie de me suivre.»

La demeure d'Aristos, la plus imposante d'Apollonia, s'étendait sur une surface rectangulaire et formait, avec ses murs extérieurs, une zone d'habitation fermée. Les bâtiments étaient distribués autour de la cour. À gauche, se trouvaient les écuries. Longeant le mur, à droite, s'étirait une promenade couverte, au toit de tuiles rouges supporté par une série de colonnes. Au fond, s'élevait la demeure principale. Ses quatre immenses colonnes de pierre blanche soutenaient une frise qui épousait son toit en forme de pignon.

«Voilà le genre de demeure que je me ferai construire un jour, Xanthias. Encore quelques voyages à Milet et vers les villes de l'Euxin et je deviendrai le plus riche marchand de cette ville...

—Par la grande déesse Héra, sois le bienvenu, Hippias. Apportes-tu le don promis par notre généreux tyran?»

Aristos s'était avancé sous le portique à colonnes de la maison. Il attendait à l'ombre, préférant demeurer à l'abri des chauds rayons du soleil. Il portait son himation habituel, sorte de manteau d'une seule longue pièce d'étoffe dont l'un des pans recouvrait son épaule gauche. Derrière lui se tenaient quelques notables du conseil qu'Hyppias avait déjà entrevus lors des grandes processions aux temples de la ville.

«Voilà le précieux colis que Thrasybule m'a prié de te remettre», fit Hippias en s'approchant d'Aristos.

Les vases, enveloppés séparément dans des bandes de tissu de lin, étaient attachés ensemble à l'aide de longues lanières de cuir. Aristos les dénoua et dégagea les deux objets.

«Des vases de bronze? s'exclama Aristos. Thrasybule offre du bronze maintenant? Qu'advient-il de l'or et de l'argent que nous lui versons chaque année en tribut?

—Mais... mais..., balbutia Hippias, y regardant de plus près. Ce ne sont pas les vases de Thrasybule! Je les ai moi-même emballés. Que Zeux me prenne à témoin, ils n'ont pas quitté mes bagages durant tout le voyage!

—C'est un sacrilège! s'écria Phocion, l'un des notables présents. Hippias, j'ordonne que la garde de la ville te confisque sur-le-champ tes navires. Il t'est interdit de quitter la ville.»

Changant de ton, Phocion leva un bras menaçant vers Hippias.

«Où se trouve *ton* ami thrace? demanda-t-il en fixant sournoisement le commerçant dans les yeux.

—En ville, quelque part..., avoua Hippias, encore sous le choc de l'interdit imposé par l'homme responsable de la police de la ville. Je ne vois pas du tout où tu veux en venir! Rien ne te permet de mettre en doute l'honnêteté de mon ami.

—Tu oublies une chose, commerçant: Acamas est thrace et son père userait de tous les stratagèmes pour satisfaire son goût immodéré pour nos objets de luxe, y compris voler les biens du dieu.»

CHAPITRE 2

Hippias était trop troublé pour réfléchir et tenter de trouver une explication logique à cette histoire. Une seule chose comptait à ses yeux pour le moment: retrouver son ami Acamas et le prévenir des intentions de Phocion. Ce dernier n'avait pas mâché ses mots devant Aristos et les notables témoins de son embarras. «Tous les Thraces sont des barbares sans foi ni loi, avait-il déclaré. Et ceux qui prennent l'apparence des Grecs sont sans contredit les plus dangereux.» C'était, selon lui, une manière insidieuse de cacher leur perfidie. C'était l'occasion, maintenant, de leur montrer la supériorité et la puissance des Grecs.

Parcourant les petites rues étroites du quartier des artisans, Hippias se dirigea tout droit vers l'atelier du maître-orfèvre Oreste. Il savait qu'Acamas avait manifesté l'intention de s'y rendre. Son ami lui avait confié qu'avant de prendre la route vers la forteresse de son père, il devait se procurer quelques menus objets pour ses épouses. En s'engageant dans le mince passage de la rue des orfèvres, Hippias aperçut le vieux maître installé devant son atelier. Penché sur une large coupe d'argent à deux anses, Oreste s'apprêtait à graver quelques motifs sur la surface bombée du vase.

«Par Dionysos, Oreste, fit aussitôt Hippias sans même saluer le vieil homme, est-ce qu'Acamas t'a rendu visite aujourd'hui?

—Te voilà bien pressé, commerçant. Toujours en quête d'une bonne affaire?

—Je ne suis pas ici pour vendre ni acheter, Oreste. Je cherche mon ami Acamas. C'est très important. Dis-moi: il est venu chez toi?

—Va dans l'atelier, derrière. Je crois bien qu'il fouille encore dans mes «trésors»...

—Je t'en prie... Ne dis à personne que tu m'as vu. Je peux compter sur ta discrétion?

—Tu as encore fait un mauvais coup? Ah! J'ai souvent répété à ton père...»

Hippias laissa le vieillard à ses souvenirs et franchit la partie extérieure de la boutique, sautant par-dessus les vases de toutes les formes qui jonchaient le sol, pêle-mêle, à l'entrée de l'atelier.

«Acamas! appela-t-il à mi-voix en voyant l'ombre de son ami au fond de la pièce faiblement éclairée.

—Suis-je devenu subitement assez Grec pour être autorisé à t'adresser la parole? répliqua Acamas, sur un ton mi-moqueur, mi-acide.

—Il y a quelqu'un dans la ville qui en doute. Je n'ai pas le temps de te raconter en détail, Acamas, mais il te faut quitter la ville sur-le-champ. Phocion, le chef des gardes de la ville, a mis tous ses soldats à ta recherche pour te mettre aux arrêts. Il m'a confisqué mes navires et ce fourbe t'accuse d'avoir volé les vases que Thrasybule destinait au temple d'Héraclès.

—C'est totalement absurde! protesta Acamas, désemparé par les étranges révélations de son ami.

—Ce n'est pas moi qu'il te faudra convaincre. Pour le moment, je t'en conjure, suis-moi. Je connais une sortie discrète qui te permettra de gagner la forêt située au sud des murs de la ville. De là, tu pourras facilement rejoindre la forteresse de ton père.

—Je n'ai aucune raison de fuir! Suis-je assez stupide pour avoir commis un tel sacrilège?

—Je te le répète, Phocion est capable des pires excès. Je me sentirais soulagé si je te savais en sécurité.

—D'accord, mais si je ne suis pas le voleur... Qui est-ce, alors?

—Je me charge de le démasquer. Mes navires sont certes immobilisés, mais moi, je suis toujours en liberté. Laisse-moi m'occuper de cette affaire.

—Mon cheval est dans tes écuries, Hippias, et j'en aurai besoin pour échapper rapidement à Phocion.

—Écoute-moi bien. Dès que tu auras pénétré dans la forêt, dirige-toi vers le lac et attends-moi là-bas. J'essaierai ce soir de m'esquiver et de t'amener ton cheval.»

Impatient et nerveux, Hippias coupa court à la conversation et poussa son ami vers l'extérieur de l'atelier. Après avoir constaté que le chemin était libre, il lui prit le bras et l'entraîna dans la petite rue où les deux hommes se mêlèrent facilement à la foule des passants et des acheteurs. La rue des orfèvres longeait la muraille sur une courte distance. C'était près de cette muraille que se trouvait la porte dont avait parlé Hippias et qui constituait, pour les habitants de la ville, une sorte de sortie menant directement à la côte. Depuis plusieurs années, elle était tombée dans l'oubli et Hippias comptait sur ce fait pour que son ami puisse quitter Apollonia sans avoir Phocion et ses soldats sur les talons.

«Halte! Arrêtez-les!»

Des soldats armés de lances firent subitement irruption à travers l'ouverture du mur. Phocion était homme à ne rien laisser au hasard et il avait judicieusement posté des gardes à cet endroit; il avait fait le même calcul qu'Hippias. Rebroussant chemin devant les soldats qui leur barraient la voie, les deux hommes se retournèrent pour reprendre la rue des orfèvres et tenter de se perdre à nouveau dans la foule. Trop tard. D'autres soldats arrivaient dans leur direction, bousculant sauvagement les passants étonnés. Cernés de toutes parts et sans autre issue, Acamas et Hippias n'offrirent aucune résistance aux soldats qui se saisirent d'eux sans ménagements.

*

«Nous ne portons aucune accusation contre toi, commerçant. Du moins, pas pour le moment.»

Lysanias avait la réputation d'être un juge sévère mais juste. Dans la salle principale de la maison du gouverneur, les notables s'étaient rasemblés et, debout, en demi-cercle, face aux accusés, avaient longuement délibéré. Phocion n'avait pas caché ses soupçons envers Acamas, et nombreux étaient les notables séduits par ses arguments. Pour sa part, Lysanias avait fait montre de beaucoup de modération, alléguant à plusieurs reprises que Phocion ne possédait aucune véritable preuve à présenter au tribunal des anciens.

«Et le Thrace? lança alors Phocion. N'est-il pas celui qui a été le plus en contact avec les objets volés? Pourquoi cherchait-il à prendre la fuite? N'est-ce pas là un comportement qui affirme sans équivoque sa culpabilité?

—Jamais un Grec n'aurait si bassement profané les dieux, cria un autre notable. Seul un barbare est capable d'un tel sacrilège!

—Qu'as-tu à dire, Acamas? demanda alors Lysanias, le fixant droit dans les yeux.

—Nous, les Thraces, connaissons vos dieux depuis longtemps. Nous partageons même plusieurs d'entre eux avec vous. Phocion m'accuse de sacrilège, alors que ses paroles sont pires que le fiel. Que la foudre de Zeus tombe sur sa tête!»

Exaspéré et dégoûté par Phocion qui n'avait cessé de proférer insinuations et mensonges à son égard, Acamas s'élança brusquement sur lui et le saisit à la gorge. Dans la salle, après un bref instant de surprise, les notables se ruèrent sur l'assaillant, qu'ils maîtrisèrent. Les soldats accoururent et s'emparèrent de lui.

«Tu as signé ton propre aveu, Acamas, déclara Lysanias une fois le calme revenu. Je ne peux plus rien pour toi.

—Je réclame sa mort, cria Phocion, la main encore posée sur son cou meurtri par la poigne ferme d'Acamas.

—Non! protesta Hippias. Il est innocent! Je le jure, par Héraclès. Mon ami est innocent.

—Ne blasphème pas, Hippias, lança sévèrement Lysanias. Ton ami a, par son attitude, prouvé à tous sa culpabilité. Il mérite un sort pire que la mort: l'esclavage. Je déclare le Thrace Acamas esclave de la ville d'Apollonia. Il sera vendu sur la place du marché et envoyé vers une lointaine cité.

—Je suis le fils d'Anténor, Lysanias, s'écria Acamas, révolté par l'injuste verdict. Ne l'oubliez pas! Vous paierez cher cet affront.

—La loi, c'est la loi, répliqua Phocion. Anténor est tenu de la respecter comme tout le monde! »

Hippias fut repoussé hors de la maison du gouverneur. Pendant ce temps, Acamas était traîné de force par les soldats de Phocion vers la prison. Le soleil avait disparu et la place du marché était maintenant déserte. Une longue nuit d'angoisse attendait Acamas. Demain il saurait qui des Phrygiens, des Milésiens, des Myséens ou des Sardes, profiteraient de l'inique condamnation dont il avait été victime.

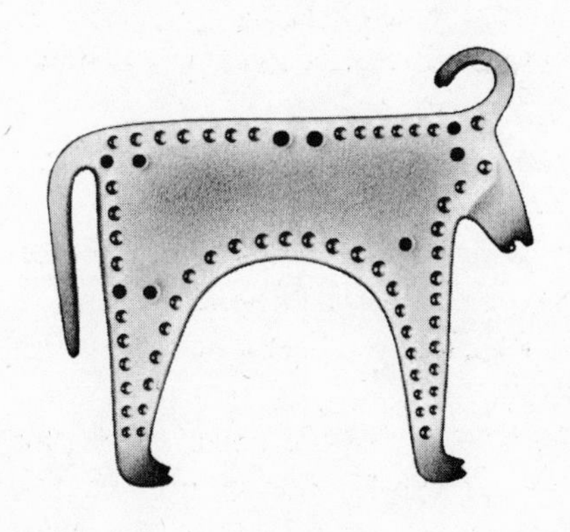

CHAPITRE 3

Les navires marchands quittaient généralement Apollonia quelques heures après l'aube, une fois leurs transactions terminées. Ils rapportaient vers la populeuse métropole de Milet des marchandises qui avaient leur prix d'or dans une contrée pauvre en bois, en métaux divers, et surtout en blé. Certains marchands s'étaient même spécialisés dans la vente de poisson séché, aliment fort apprécié des Milésiens. D'autres s'étaient lancés dans le commerce des esclaves thraces dans les villes grecques. La force et l'endurance de ces derniers étaient particulièrement recherchées.

Lorsque les gardes conduisirent Acamas sur les quais, un léger murmure parcourut la foule de badauds qui, comme chaque matin, venaient assister aux dernières transactions. Hippias se tenait à l'écart, derrière une empilade d'amphores, craignant que Phocion ou ses gardes ne le prennent de nouveau à partie. De cet endroit, il espérait connaître l'acheteur d'esclaves qui se porterait acquéreur de son ami et pourrait ainsi lui apprendre la destination du navire marchand qui l'emmènerait loin d'Apollonia. Durant la nuit, il avait mûri un plan qui lui permettrait peut-être de récupérer Acamas et d'en faire un homme libre. Mais pour le moment il lui fallait rassembler des informations précises sur la destination du navire.

«Emmenez les autres, ordonna Phocion à l'un des soldats qui l'accompagnaient.

—Combien ce matin? interrogea un homme à la barbe taillée en pointe, qui se frottait les mains d'impatience avant d'examiner la «marchandise» qui s'approchait.

—Trois jeunes Thraces. Deux filles et un garçon...

—Vendus par leur père, comme à l'habitude?» demande le marchand, les yeux pétillants d'intérêt.

Phocion acquiesça puis, levant la main, indiqua aux soldats les navires amarrés aux quais, afin qu'ils y mènent Acamas. Les marchands d'esclaves se rapprochèrent, stupéfaits de voir apparaître l'ami thrace d'Hippias.

«Tu ne fais pas erreur? demanda l'un des Phrygiens, quelque peu perplexe à la vue d'Acamas qui se débattait sans relâche.

—Cet homme a commis un sacrilège contre notre tyran et notre dieu, déclara froidement Phocion à ceux qui l'entouraient. Il doit être vendu.

—Hum!..., fit le Phrygien en ajustant sa calotte d'étoffe rougeâtre sur sa tête. Je connais Hippias et je n'ai pas l'intention de me mêler d'une sale affaire!

—J'en offre cent drachmes, lança un marchand de Milet. Il fera fureur dans la métropole. Un Thrace qui parle grec, jeune et solide en plus!

—Cent cinquante! cria un autre.

—Deux cents! relança le Milésien. C'est une belle somme pour les coffres d'Apollonia, Phocion.»

Le Milésien fit sonner des pièces d'argent contenues dans une petite bourse en cuir et, sans attendre la réponse de Phocion, la lança dans sa direction.

«Il est à toi», fit ce dernier, palpant le sac de cuir pour en vérifier la teneur.

Satisfait, Phocion jeta un regard victorieux vers Acamas, puis quitta les lieux.

Le navire du Milésien était l'un des plus imposants de la flotte de l'Euxin. Avec ses trois grandes voiles rectangulaires, il se chargeait à plein de vent et fendait l'eau avec une aisance qui faisait oublier son lourd chargement de blé. La cale n'avait rien de confortable. Sacs de blé, amphores et cordages occupaient tout l'espace disponible. Pour Acamas, cet enfer n'avait aucun sens et tout en lui refusait cette fatalité qui le privait de sa qualité d'homme libre. Le capitaine avait exigé qu'il soit solidement attaché à la coque et continuellement surveillé par l'un des marins durant tout le voyage vers Milet.

Dès le premier instant où il fut jeté dans cette cale infecte et obscure, une seule pensée lui occupa l'esprit: fuir, quitter ce navire avant qu'il ne soit trop tard! Jamais il n'accepterait une vie d'esclave, lui, le fils d'un cavalier!

La nuit approchait. À travers une mince fente du plancher de bois du pont, Acamas vit l'obscurité envelopper le navire. Ce dernier avait jeté l'ancre tout près des côtes, et les marins se préparaient à prendre leur repas du soir. Un homme descendit dans la cale, une lampe à l'huile à la main, de laquelle émanait une faible lueur jaune.

«J'apporte du poisson séché pour le Thrace, dit-il à son compagnon. Va prendre ton repas sur le pont. Je vais m'occuper de lui.»

L'autre se leva, trop heureux que quelqu'un d'autre assure enfin la relève. Tenant une dague pointée sur Acamas, le marin défit prudemment les liens qui lui maintenaient les bras attachés derrière le dos.

«Tu seras plus à l'aise pour manger, dit-il, sans perdre de vue chacun des mouvements du prisonnier. Prends ce poisson, et surtout ne fais pas de faux mouvements.»

Sur ces paroles, le marin leva l'arme acérée vers la poitrine d'Acamas qui recula instinctivement. Le marin esquissa un sourire de satisfaction, puis lui tendit les filets de poisson fumé et une petite cruche de vin rouge. Pendant un court instant, Acamas oublia son triste sort et avala ce qui constituait le seul repas de sa journée. Après avoir vidé la cruche de vin, il la déposa près du marin et lui demanda, sur un ton amical et familier: «Tu travailles depuis longtemps pour ce marchand de Milet?

—Mes parents sont de pauvres paysans qui habitent près de Milet.

Ils m'ont placé chez ce marchand dès mon jeune âge parce que la terre était trop petite pour nourrir tout le monde. Alors, j'ai fait tous les métiers, sur terre et sur mer, et aujourd'hui je fais escale dans presque toutes les colonies de Milet. Et il y en a près de quatre-vingts en tout! C'est la plus grande métropole, tu sais. Et je rencontre des gens de toutes les races!

—Tu ne souhaiterais pas posséder un jour ton propre navire? lança Acamas, qui sentait naître en lui une nouvelle lueur d'espoir.

—Par Poséidon! répondit en riant le marin. C'est le genre de rêve qui danse dans mon esprit brumeux quand je bois une bière de trop.

—Comment te nommes-tu, marin?

—Mon père m'a donné le nom de son grand-père qui s'appelait Ibycos.

—Écoute-moi bien, Ibycos. Si tu m'aides à sortir d'ici et à atteindre la côte, je te promets par Bendidaïn et Héraclès que tu auras tout l'or et l'argent nécessaires pour te procurer le plus magnifique navire de toutes les mers!»

Pendant un long moment, Ibycos fixa son prisonnier droit dans les yeux, comme s'il essayait d'en sonder l'âme. Retirant le glaive qu'il tenait toujours pointé vers Acamas, il déclara: «Je sais que les Thraces de ton rang possèdent de grandes fortunes et je ne mets pas ta parole en doute. Mais si je t'apporte mon aide, jamais plus je ne pourrai naviguer dans cette région de l'Euxin. Il me faudra m'exiler sur la Méditerranée, vers l'ouest...

—Mieux vaut un exil plein d'avenir et de richesse qu'une vie entière dans la pauvreté et sans espoir!» coupa Acamas.

Ibycos hésitait. L'offre d'Acamas faisait miroiter devant ses yeux un moyen de sortir de sa misère de marin. Mais accepter signifierait fuir Milet, ses compagnons...

«J'ai ta parole? demanda-t-il pour se rassurer. Jure-le par nos dieux!

—Je le jure par Zeus et Héraclès, fit Acamas. Tu n'as rien à craindre de moi. Je suis fils de chef de clan et mon père te sera très reconnaissant de ton geste.

—Mais comment vais-je faire pour quitter ce pays?

—Je me charge de ce problème, déclara Acamas en voyant l'inquiétude d'Ibycos. Les chefs odryses nous appuieront et nous te conduirons vers le sud. Là-bas, il te sera facile d'acheter un navire et de rassembler un équipage.

—D'accord, dit Ibycos, jouant le tout pour le tout. De toute façon, ce n'est pas moi qui suis responsable de ta situation d'esclave. Mais grâce à moi, tu redeviens un homme libre et moi, un homme riche.»

Ibycos trancha les liens qui paralysaient les jambes d'Acamas puis se dirigea vers l'écoutille avant du navire.

«Suis-moi, fit-il à voix basse. Il n'y a jamais personne sur le pont avant du navire. Les hommes se tiennent à l'arrière avec le capitaine et y passent habituellement la nuit.»

Les deux hommes enjambèrent difficilement les sacs qui s'empilaient dans la cale, puis s'arrêtèrent sous l'écoutille avant. Ibycos dirigea sa lampe vers la droite et découvrit une courte échelle de bois. Acamas s'en empara et l'adossa sur le rebord de l'ouverture qui menait sur le pont. Ibycos éteignit la lampe puis monta lentement à travers l'écoutille.

«Personne à l'avant», murmura-t-il.

Acamas imita son geste et, à son tour, se retrouva sur le pont. Puis, sans perdre un instant, il se glissa par-dessus bord, pénétrant silencieusement dans l'eau à la suite d'Ibycos. Il n'avait pas l'habitude des bains de mer, surtout la nuit. Il dut donc se résoudre à demander l'aide de son sauveteur pour nager et atteindre la côte, très rocailleuse à cet endroit. Une épaisse forêt dessinait sa masse sombre sur un fond étoilé et offrait un refuge parfait aux deux fugitifs. Profitant du calme de la nuit, ils s'y enfoncèrent profondément et coururent sans relâche afin de s'éloigner le plus possible du navire marchand.

CHAPITRE 4

«Cesse de gémir, Ibycos! Je t'assure que nous ne courons aucun danger. Ce village appartient à l'un des vassaux de mon père.

—Après ce que t'ont fait les habitants d'Apollonia, je crains que les Grecs ne soient plus les bienvenus.

—Les gens me connaissent ici. Dès que nous serons à l'abri, je ferai parvenir un message à mon père.»

Les deux hommes, les vêtements déchirés par leur course nocturne à travers les bois, débouchèrent dans une étroite vallée, serrée entre des collines basses et couvertes de pâturages. Malgré la fatigue qui alourdissait leur pas, ils marchèrent vers un village composé de modestes huttes paysannes au toit de chaume. Acamas sentit monter en lui une douce chaleur, heureux d'apercevoir des paysans vaquant à leurs besognes près de l'enclos des animaux. Il était enfin chez lui, parmi les siens et sur la terre des siens. Le cauchemar d'Apollonia semblait enfin terminé.

«N'es-tu pas le fils d'Anténor? demanda un vieillard, lorsque Acamas et son compagnon eurent atteint les premières maisons du village.

—Tu l'as dit, vieillard. Je suis bien Acamas, fils d'Anténor. Peux-tu me mener au chef de ton village?

—Le voilà, près de l'enclos. C'est lui qui nourrit les vaches à la fourche.

—Viens avec moi, Ibycos. Il est urgent que mon père sache que je suis de retour. Nous allons nous reposer et ensuite nous trouverons des chevaux. Nous pourrons rejoindre la forteresse de mon père en quelques heures.

*

Dès que le navire du marchand de Milet eut quitté la rade d'Apollonia, emportant au loin son ami thrace, Hippias se rendit immédiatement chez Xanthias, le plus habile de ses capitaines. Il voulait lui proposer de se lancer, sur une embarcation légère et rapide, à la poursuite du navire du Milésien. S'il voulait sauver son ami Acamas, il se devait d'atteindre Milet sans délai.

La ville était aux abois depuis que Phocion, de retour chez le gouverneur, avait décrété l'état d'urgence. Il appréhendait une riposte des Thraces d'Anténor, et tous les hommes disponibles avaient été appelés afin de former une petite armée d'hoplites. Apollonia ne possédait pas d'armée permanente. Lorsque le besoin se faisait sentir, les hommes les plus riches étaient immédiatement conscrits comme hoplites. Ils fournissaient alors leur propre armement, constitué d'un grand bouclier rond, d'une armure de bronze, d'un glaive et d'une longue pique. Xanthias habitait une modeste maison dans le quartier des céramistes. Hippias entra sans frapper et surprit son capitaine en train d'astiquer un grand bouclier rond, fait de peaux et de plaques de métal.

«Tu pars à la guerre, Xanthias?» demanda Hippias en pénétrant dans l'unique pièce de la maison.

Xanthias sursauta en l'apercevant et, sur un ton qui cachait mal le profond malaise qu'il éprouvait, répondit: «Phocion a ordonné de... de se préparer à cause du Thrace...»

Pendant que Xanthias essayait péniblement d'expliquer la situation à Hippias, ce dernier remarqua un étrange objet au milieu de petites cruches de vin posées sur le dessus d'un coffre en bois. Hippias fit mine de rien et se rapprocha de Xanthias qui n'en finissait plus d'expliquer que les Thraces constituaient un danger pour les Grecs, qu'ils possédaient les terres les plus fertiles...

«D'où te vient ce sac de cuir, interrogea Hippias d'une voix énergique, montrant du doigt l'étrange objet à Xanthias, subitement apeuré.

—C'est Phocion...

—Raconte, chien!» fit alors Hippias qui s'était emparé de la lance de Xanthias appuyée sur le mur, près du coffre. D'un geste vif et rapide, il en dirigea la pointe brillante vers le ventre de ce dernier qui, pris de panique, recula de quelques pas jusqu'au mur qui se trouvait derrière lui.

«C'est Phocion... balbutia à nouveau Xanthias, envahi par une terreur incontrôlable.

—C'est Phocion qui t'a payé, n'est-ce pas? Mais je veux savoir pourquoi! Et dis-moi, surtout, pourquoi il t'a payé avec l'argent de la vente d'Acamas.

—J'avouerai tout, Hippias. Mais promets d'abord que tu me laisseras la vie sauve.»

Démasqué, Xanthias tenta de retrouver son calme et respira profondément pour se donner un peu de courage.

«Phocion est un homme cruel. Il m'a menacé parce que je lui devais beaucoup d'argent. Je te jure, par Zeus, que j'ignorais ses intentions, mais c'est lui qui m'a remis les vases de bronze pour que je les subtilise à ceux que Thrasybule avait offerts. Il voulait que ton ami thrace soit trouvé coupable afin de le réduire ensuite à l'esclavage... C'est tout ce que je sais... je te le jure!

—C'est insensé! Je ne comprends pas l'avantage que Phocion tire de tout cela. D'autant plus que son geste attire sur nous les foudres bien justifiées du Thrace Anténor.

—Permets que je me rachète, Hippias... Je...»

Les mots se figèrent dans la gorge de Xanthias. Il pencha lentement la tête vers l'avant et sentit la pointe glacée de la lance lui transpercer la partie supérieure du ventre. Hippias lâcha l'arme et Xanthias s'écroula face contre terre.

Après quelques heures de sommeil, Acamas sentit ses forces revenir. Il secoua Ibycos qui dormait sur le sol près de lui.

«Nous partons, fit Acamas. Nous serons au château avant le coucher du soleil.»

Les paysans avaient alerté Rhescuporis, le vassal d'Anténor qui contrôlait les terres de la région. Accompagné de chevaux, Rhescuporis s'était rendu en personne au village. C'était un homme à la taille impressionnante. Son épaisse chevelure blonde qui flottait au vent lui donnait l'allure d'un dieu invincible.

«Que Bendidaïn te protège, Rhescuporis, lança Acamas à l'approche du géant. Ta présence me fait chaud au coeur.

—Par tous les dieux! répondit celui-ci en mettant pied à terre. Les Grecs t'ont mis dans un état indigne de ton clan, Acamas. Tous les vassaux d'Anténor sont déjà sur le pied de guerre. Si nous partons sans tarder, nous atteindrons la forteresse à temps pour le rendez-vous fixé par ton père. Allons! Le temps presse!»

*

À nouveau libre, Acamas retrouvait les plaisirs de galoper à travers les champs, les forêts et les collines dont la beauté sauvage inspirait une pureté d'émotion totalement étrangère aux bourdonnements quasi incessants des quais d'Apollonia. Après sa triste aventure, Acamas semblait redécouvrir les joies profondes de l'univers simple et champêtre des cavaliers thraces qu'il avait presque fini par renier. La petite troupe pénétra dans les terres de la forteresse d'Anténor et croisa un îlot de tombes appartenant aux ancêtres d'Acamas. Construites à l'aide de grandes et lourdes dalles de pierre, leur immense structure dominait la colline sacrée et imposait le respect et la vénération aux voyageurs.

«Les vassaux sont là avec leurs troupes», fit Rhescuporis qui aperçut au loin la forteresse et une masse grouillante au pied des fortifications.

Acamas et Rhescuporis forcèrent l'allure de leurs montures et filèrent à travers le champ de blé qui s'ouvrait devant eux, laissant loin derrière le pauvre Ibycos qui était nettement plus à l'aise en mer.

La nuit tombait sur la vallée, et les vassaux avaient ordonné de monter les tentes. À leur arrivée à la porte de la forteresse, les cavaliers se précipitèrent à la rencontre d'Acamas et de Rhescuporis.

«Vive Acamas! cria l'un d'eux.

—Vive Acamas et Rhescuporis, lancèrent les autres qui manifestaient leur joie et saluaient de leurs cris le retour du fils de leur maître.

—Un cavalier nous suit, déclara Acamas. C'est un ami grec. Ne lui faites aucun mal et conduisez-le au château dès qu'il nous aura rejoints!»

Acamas pénétra triomphalement à l'intérieur de la forteresse et vit son père approcher, les bras tendus vers lui. Ses traits durs et sévères étaient adoucis par un visage souriant et des yeux pétillants. L'homme semblait animé d'une grande bonté.

«Mon fils, dit-il, la voix pleine d'émotion. Ton ami Hippias est avec nous. Il m'a tout dévoilé sur cet ignoble Phocion. Viens! Nous allons fêter ton retour et tu nous raconteras les détails de ton aventure.

—Acamas! s'écria une voix que ce dernier reconnut aussitôt.

—Hippias, mon ami! Peux-tu m'expliquer tout ce branle-bas...

—Je crois avoir découvert le responsable de tout ce complot contre toi. Mais avant de partir à ta recherche, il me fallait l'aide de ton père. Je suis venu le mettre au courant. Et toi? Comment as-tu réussi à t'échapper?

—C'est une longue histoire... Je te raconterai plus tard...»

CHAPITRE 5

«Qui va là?

—J'apporte du foin, répondit Hippias au soldat qui, lance en main, gardait l'entrée de la ville.

—Tu peux passer, paysan. Conduis ton chargement sur l'agora.»

Hippias se réjouit du choix de son déguisement qui venait de déjouer si aisément la vigilance du soldat. À l'aide de mèches de cheveux, il s'était fabriqué une barbe bien fournie, et une calotte brun roux cachait sa chevelure, à la manière des petites gens de la campagne.

Depuis deux jours, Apollonia s'était subitement transformée en un véritable camp retranché. Phocion avait posté des gardes partout et, d'heure en heure, les préparatifs du siège de la ville par les Thraces allaient bon train. L'agora servait de quartier général et l'on avait entassé sur son pourtour les réserves alimentaires destinées aux hommes et aux animaux. Hippias mena son chariot dans la direction indiquée puis, à quelques pas de l'agora, s'engagea dans une petite ruelle transversale. Il constata avec un certain soulagement qu'elle avait été désertée par ses habitants. Ils doivent tous se trouver sur l'agora, pensa-t-il en arrêtant le chariot devant la seconde maison de la ruelle.

«Nous y sommes! fit-il à voix basse à ses passagers habilement camouflés sous le tas de foin. Vous pouvez sortir. La route est libre.

—Il était temps! lança Acamas en se glissant hors du chariot et en secouant la tête pour en chasser les brindilles de foin qui la recouvraient. Nous avions peine à respirer là-dedans.»

À son tour, Ibycos apparut et, tout comme Acamas, se faufila dans l'étroite ouverture qui menait à l'intérieur de la demeure d'Hippias.

«Verrouillez la porte de l'intérieur et ne laissez entrer personne. Je conduis le chariot à l'agora et reviens sans tarder.»

Sur la grande place régnait une animation fébrile. Une vingtaine d'hoplites, vêtus d'armures et de casques à panache de crins de cheval, dominaient la scène. Les artisans s'étaient mobilisés pour défendre leur ville menacée. Un soldat distribuait à chacun une longue lance tandis qu'un de ses camarades s'efforçait de prodiguer des conseils rapides pour son maniement.

Hippias longea l'agora en direction du temple d'Héraclès et aperçut Phocion et les autres notables qui semblaient vérifier l'état des vivres. Après avoir laissé son chariot à un homme désigné pour la consignation du foin, Hippias rebroussa chemin et se mêla discrètement à la foule des hommes et des femmes qui avaient envahi la place publique. Il quitta l'endroit sans que personne lui porte attention et, quelques minutes plus tard, arriva devant chez lui.

Après s'être assuré que personne ne l'avait suivi, Hippias frappa à la porte.

«Ouvre-moi, Acamas! Fais vite!» dit-il d'un ton nerveux. Il venait d'entendre des pas lourds résonner sourdement sur le pavé de la grande rue qui menait à l'agora.

La porte de bois gémit sur ses gonds de métal, et Hippias disparut d'un bond agile à l'intérieur du logis.

«Les soldats circulent partout, dit-il en passant la paume de sa main sur son front humide de sueur. Il nous faudra agir avec beaucoup de prudence si nous voulons réussir.

—Il ne nous reste que peu de temps avant que le soleil n'atteigne son zénith, ajouta Acamas. Anténor n'attendra pas plus longtemps pour intervenir.

—Tu es prêt, Ibycos? demanda Hippias, prenant amicalement le jeune marin par les épaules.

—Je préfère cette solution à l'exil sur la Méditerranée, grommela l'autre en s'efforçant de rassembler tout son courage.

—Allons-y!» dit enfin Hippias à ses compagnons.

Son plan était simple: d'abord se rendre dans le quartier des artisans et, de là, contourner l'agora en empruntant les petites rues qui longent parallèlement le temple d'Héraclès. C'est derrière ce temple que se trouvait la riche demeure de Phocion. Après avoir évité de justesse une troupe de fantassins en armes qui déambulait aux approches du temple, les trois amis atteignirent sans incident le portique de la maison. Comme ils ne voyaient personne à l'entrée, ils pénétrèrent rapidement dans la cour, longèrent les bâtiments sur leur droite et marchèrent lentement jusqu'à la maison principale.

«J'ai vu un serviteur à la porte, murmura Acamas à ses deux compagnons. Attirez son attention. Je vais le neutraliser.»

Quelques instants plus tard, l'homme était solidement bâillonné. Acculé au mur de la maison, effrayé à la vue de la dague menaçante qu'Hippias pointait vers lui, il se laissa choir mollement sur le sol.

«Nous ne sommes pas des voleurs, fit Hippias, désireux d'apaiser le jeune domestique terrorisé par l'assaut dont il était victime. Nous ne te voulons aucun mal. Nous ne souhaitons qu'une chose: que tu nous conduises à la chambre de ton maître. Tu as compris?»

L'autre acquiesça et, à peine rassuré, se releva. Il traversa un court vestibule et désigna une pièce qui s'ouvrait immédiatement sur la gauche. Précédée du serviteur, toujours sous la menace de l'arme d'Hippias, la petite troupe pénétra dans la chambre de Phocion. Un lit-divan occupait le centre de la pièce. Une table de bois, à proximité, tenait lieu de support à une lampe à l'huile en bronze en forme de pied humain. Au fond, trois coffres de bois foncé se détachaient nettement sur un mur blanchi à la chaux.

«Fouillez les coffres», ordonna Hippias qui continuait à surveiller le malheureux serviteur.

Le premier ne contenait que des vêtements: tuniques, himations et longs manteaux d'étoffe. Lorsqu'il souleva le couvercle du second, Acamas esquissa un large sourire et se retourna vers Hippias.

«Voilà le «trésor» de ce vil Phocion!»

Acamas retira du coffre quelques vases d'argent, puis, au fond, aperçut ce qu'il cherchait: le rhyton et la phiale de Thrasybule.

«Ton maître est un voleur, lança Hippias au serviteur, mystifié par ce qui se déroulait sous ses yeux. Ces vases appartiennent au temple d'Héraclès, et Phocion s'en est emparé pour faire accuser et condamner mon ami thrace.

—Nous en avons la preuve, soupira Acamas, en exhibant fièrement les deux objets de culte offerts par le grand tyran de Milet. Il ne nous reste plus qu'à démasquer ce fourbe.

—Le moment approche, ajouta Ibycos. Le soleil doit maintenant être au zénith.»

*

Midi approchait. Dans le ciel, le soleil continuait sa course et glissait lentement vers son point culminant. Sur l'agora, les habitants d'Apollonia se pressaient en silence devant le temple d'Héraclès. Entouré des notables de la ville, Phocion dominait la foule du haut des marches qui menaient au temple du dieu.

«Des éclaireurs annoncent l'approche des troupes du Thrace Anténor, déclara-t-il à la population réunie. Nous devons tenir jusqu'à l'arrivée des renforts que j'ai réclamés des autres colonies. Vous n'avez rien à craindre car nous sommes en mesure de supporter un siège de plusieurs jours.

—Grâce à vos sacrifices, ajouta Lysanias, Apollonia élargira sa domination sur toutes les terres fertiles de la vallée qui s'étend vers l'intérieur, et nous pourrons y installer de nouveaux colons.

—Qu'est-ce que c'est que cette histoire de terres? souffla Acamas à ses compagnons qui l'avaient suivi jusqu'au portique principal du temple.

—Ce n'est pas le moment de penser à cela, fit Hippias. Nous n'avons plus une minute à perdre. Je passe devant. Toi, reste ici avec Ibycos et le domestique de Phocion.

—Par Zeus et Héraclès, nous vaincrons ces barbares..., continua Phocion.

—Tu es un fourbe et un menteur, s'écria Hippias en s'approchant des marches du temple.» Puis, face à la foule, il déclara: «C'est Phocion qui est responsable de cette guerre avec les Thraces!

—Emparez-vous de cet homme, ordonna ce dernier, à peine remis de sa surprise devant l'apparition soudaine d'Hippias.

—Acamas, le Thrace, est innocent. C'est Phocion qui a volé les vases sacrés.

—Abattez-le sans pitié!» cria le chef de la garde. Il dégaina et bondit sur Hippias afin de faire taire celui qui tentait de déjouer sa machination.

«Non! ordonna Artémos, le gouverneur de la ville. Baisse ton arme, Phocion. Je veux entendre la déclaration d'Hippias, le commerçant.»

Hippias pivota sur lui-même et fit signe à ses compagnons de le rejoindre. Un léger murmure parcourut la foule à la vue d'Acamas qui portait, bien en vue, les vases de Thrasybule.

«Nous les avons retrouvés dans la demeure de Phocion. Ibycos et le serviteur de Phocion peuvent en témoigner.

—Jette ton arme, traître!» fit aussitôt le gouverneur d'une voix autoritaire en se tournant vers Phocion.

«Vous ne me prendrez pas vivant, hurla ce dernier en brandissant son glaive et en reculant de quelques pas. Et je n'ai pas l'intention de mourir seul...»

Après quelques instants d'un lourd silence, il reprit, cette fois sur un ton sarcastique:

«Pourquoi gardes-tu le silence, Lysanias? Pourquoi n'avoues-tu pas que c'est toi qui as monté cette parodie de vol pour t'emparer des terres des Thraces?»

Démasqué à son tour et pris de panique, Lysanias tenta de s'échapper en courant vers l'entrée du temple. Aristos fit un signe vers un des archers, et une flèche fendit l'air. Elle atteignit sa cible et se planta dans l'épaule gauche du fuyard qui s'écroula. Pendant ce temps, entouré de toutes parts par des hoplites lourdement armés, Phocion avait cessé de se débattre et avait laissé choir son glaive sur le sol dallé de pierre, à quelques pas des colonnes du temple.

Pendant que la foule se lançait dans de vives discussions sur les événements qu'elle venait de vivre, le son grave du cor retentit au loin. Il annonçait la présence d'Anténor et de ses troupes de vassaux.

«Cours avertir ton père, Acamas, déclara Artémos en serrant chaleureusement dans ses bras celui qui était maintenant lavé de toute accusation. Nous allons punir les vrais coupables de cette infâmie qui a failli entraîner nos deux peuples dans la guerre.

—Que Bendidaïn, la grande déesse des Thraces, et Héraclès, le grand dieu des Grecs, forment à jamais un couple uni!» lança joyeusement Acamas.

*

Après le départ de Phocion et de Lysanias, exilés dans quelques ports lointains du nord de l'Euxin, Apollonia retrouva son rythme palpitant de ville portuaire et marchande. Au fil des ans, Hippias devint propriétaire d'une vaste flotte marchande et, accompagné de son associé Ibycos, sillonna non seulement les mers de l'Euxin et de la Propontide, mais également l'Égée, jusqu'aux cités de la grande Grèce. Acamas succéda à son père Anténor à la tête des clans thraces de la région. Les années passèrent sans histoire, alors qu'au loin, au-delà des mers et des terres de l'Ionie, se préparaient de grands bouleversements.

CINQUIÈME PARTIE

La gloire éphémère des Odryses

CHAPITRE PREMIER

Il neigeait sans arrêt depuis deux longues journées. La tempête soufflait avec violence des contrées du nord, et les puissantes bourrasques glaciales se jouaient des vallées et des collines, forçant les hommes à chercher un ultime refuge auprès du feu, dans leurs maisons. Le vieux Kotys détestait cette rude saison; il la subissait telle une agression contre son corps meurtri par une vie bien remplie. Il avait dépassé les soixante-dix ans, et tous au palais le respectaient pour la sagesse de ses paroles et les innombrables expériences qui l'avaient conduit dans presque toutes les régions du monde.

L'air ne parvenait pas à se réchauffer dans la salle où les convives du roi Térès se rassemblaient habituellement pour prendre le repas du soir. Kotys était demeuré seul auprès du feu, espérant que celui-ci chasserait le mal lancinant qui lui rongeait les os.

«Je vous le répète. Si moi, Térès, roi des Thraces, j'avais été confronté aux Perses, mes armées n'en auraient fait qu'une bouchée!»Térès saisit un rhyton d'argent, le remplit de vin et but le liquide rouge foncé qui coulait d'un petit orifice situé à la pointe du vase.

«Kotys! lança le roi en essuyant du revers de la main les quelques gouttelettes de vin qui perlaient sur sa barbe blonde. Viens expliquer à ces rustres comment j'aurais écrasé ces étrangers venus d'Asie!»

Kotys ne répondit pas. Il rabattit sur sa poitrine les pans de son manteau d'étoffe puis, à pas lents, s'approcha de la table de chêne massif installée non loin du foyer.

«Dis à mes vassaux, reprit Térès sur un ton de bravade, comment le roi de la grande tribu thrace des Odryses aurait réussi à éviter la domination de Darius, le Perse!

—Certes, la lutte aurait été âprement disputée, répondit prudemment Kotys. À l'époque, les Perses étaient très puissants et...

—... et nous étions divisés, coupa sèchement Térès. Aujourd'hui, grâce à mes efforts constants et à ma volonté, le royaume des Odryses couvre enfin toute la région au sud des montagnes de l'Hémus et personne ne conteste mon autorité de premier grand roi des Thraces!

—Cela est juste, Térès. Mais, lorsque le roi des Perses décida d'entreprendre sa campagne contre les tribus scythes, les Grecs contrôlaient nos côtes, et nous, les Thraces, passions notre temps à nous quereller.

—Ne te trouvais-tu pas à Milet, à ce moment-là? demanda un jeune Thrace assis à la droite de Térès. Mon père m'a raconté que tu as même rencontré ce Darius.

—Je n'avais pas encore vingt ans et je ne voulais pas m'occuper du grand domaine que mon père avait obtenu de son père Acamas. Je me sentais à l'étroit au château et j'ai tout abandonné à mes frères. Je suis donc parti pour Apollonia, et là j'ai pu m'engager sans peine comme marin.

—Un Thrace en mer! ricana quelqu'un.

—Je n'étais pas le premier, répliqua Kotys, offusqué de la remarque. À Apollonia, plusieurs Thraces avaient appris la langue des Grecs et nombre de métiers introduits chez nous par les habitants des colonies.

—Que faisais-tu alors à Milet?

—Strattis, le marchand grec pour lequel je travaillais, y avait ouvert un comptoir, et comme je parlais couramment le grec, il m'avait laissé dans la métropole pour m'occuper des esclaves thraces. Milet...»

Kotys se perdit un moment dans ses souvenirs. Les images colorées des marchés, le bruit incessant des rues, les étrangers venus de partout, les odeurs d'épices et de vin dans les boutiques... Les souvenirs se bousculaient dans sa tête et le replongeaient dans le monde étrange et mouvementé de la grande cité ionienne...

«Alors, Kotys...? fit l'un des cavaliers.

—Je me trouvais à Milet, reprit Kotys, tentant de mettre de l'ordre dans ses souvenirs. Tout a commencé ce fameux jour où Strattis est venu m'annoncer que les Perses partaient en campagne. «J'ai appris ce matin que le tyran de Milet est à la recherche d'interprètes, me dit-il. Il paraît que le Grand Darius lance ses armées vers le nord et que notre tyran rassemble une flotte pour l'accompagner.»

«Strattis n'y connaissait rien en politique et, par ailleurs ne se préoccupait guère de savoir qui contrôlait effectivement le pays. Toutefois, cette expédition lui était apparue comme une excellente occasion de garnir ses coffres des pièces d'or offertes par le tyran de la cité.

«Je n'ai rien contre les Perses, lui avouai-je, mais n'oublie pas que Darius a déjà une solide mainmise sur toutes les villes ioniennes. Milet représente un cas à part, je sais: elle possède un traité d'alliance et d'amitié avec Darius. Par contre, si les Perses se sont mis dans la tête d'étendre leur domination vers le nord, ils réussiront à s'emparer de notre commerce sur la Propontide et l'Euxin. Et que te vaudront alors les belles pièces de monnaie que tu auras gagnées à les aider?

—Ce n'est pas notre commerce qu'ils visent, rétorqua Strattis, d'une voix qui cachait mal son impatience. Ils montent une expédition contre les Scythes, pas contre nos colonies! Il paraît que les Scythes menacent la sécurité de l'empire des Perses.

—De toute façon, lui dis-je, je te connais suffisamment pour deviner que tu as déjà accepté d'engager tes navires... Alors, quand part-on?

—Dans dix jours. Nous devons rejoindre la flotte principale dans le port de Byzantion afin d'y emmener avec nous le maximum de fantassins perses de l'armée de Darius. J'ignore ce qui suivra!»

*

«Quelle flotte!» murmura soudainement Kotys. Il ne pouvait s'arracher à ses souvenirs.

«Tu parles de la fameuse flotte de Darius? demanda Térès au vieillard.

—Près de six cents navires en tout! Ils couvraient la mer jusqu'à l'horizon. Les navires de guerre, plus effilés et rapides avec leur voilure et leurs rangées de rames, se tenaient au large. Nos navires marchands, plus larges et plus lourds, étaient ancrés dans le port de Byzantion.

—Et ta rencontre avec Darius?

—J'étais sur le quai, avec d'autres marins, attendant le départ, lorsqu'un soldat grec se présenta. Il venait de la part de Miltiade, le tyran de Chersonèse, et recherchait des Thraces parlant à la fois le grec et le perse. Je me souviens avoir longuement hésité avant d'avouer que je pouvais me débrouiller dans la langue de Darius. J'étais loin, cependant, de soupçonner que cela me vaudrait une audience auprès du grand Roi!

—Raconte-nous, Kotys, demandèrent plusieurs des convives de Térès.

—Cette flotte dont les navires provenaient de toutes les cités grecques de l'Ionie avait à sa tête les tyrans de Milet, de Chersonèse et de Cyzique. Strattis avait appris finalement que notre objectif consistait à suivre les côtes de la Thrace pour atteindre l'embouchure du fleuve Ister. Là-bas, nous devions construire un pont flottant avec nos navires afin de permettre aux armées de Darius de franchir le fleuve.»

Kotys s'empara d'une coupe de vin, avala quelques gorgées, et ses yeux se mirent à briller, comme s'il revoyait nettement la scène. Il se leva et reprit son récit avec passion: «Je n'ai pu assister au départ de la flotte, mais lorsque je fus conduit au campement de Darius, j'ai vu la formidable armée du grand Roi. Sept cent mille soldats, disait-on! Il y en avait partout de ces fantassins et cavaliers qui avaient marché depuis Suse, capitale de Darius. Ils provenaient de tous les coins de son empire.

«Sa tente avait été montée tout près de l'Hellespont. Les gens de Samos avaient construit un immense pont de navires et, pendant des jours entiers, la grande armée traversa le détroit pour pénétrer sur les terres thraces. Darius, vêtu d'une armure en or, surveillait ses hommes qui défilaient sans arrêt devant lui. Autour de lui, dans la plaine, s'étalait le campement de sa troupe d'élite, les Dix Mille Immortels, comme il les appelait.

—Tu ne nous as encore rien dit de Darius, vieillard! grogna Térès.

Tu te laisses trop impressionner par les chiffres et tu oublies l'essentiel.

—Ah! oui! Darius... J'y arrive. C'est ce Miltiade, le roi de Chersonèse, qui, je crois, avait eu l'idée de trouver des Thraces comme interprètes. Comme j'étais le seul, deux gardes perses me guidèrent jusqu'au grand Roi. Il s'agissait en fait des gardes du palais qui avaient accompagné leur roi en campagne. Ils tenaient à la main une longue lance, et sur leur épaule gauche pendaient leur arc et un immense carquois qui leur couvrait presque tout le dos. J'ai surtout été frappé par la richesse de leurs robes, décorées de motifs brodés d'or comme je n'en avais jamais vus jusqu'alors. Puis, devant la tente qui dominait toutes les autres par ses dimensions gigantesques, Darius... sur son trône... immobile et sévère comme un dieu...

«Je n'osais plus regarder le grand Roi. Je baissai les yeux vers le sol et me jetai à genoux, tremblant de tous mes membres comme une vieille femme. Quelqu'un de l'entourage de Darius voulut connaître mon nom et s'adressa à moi, d'abord en grec. Je répondis, la gorge serrée: «Kotys, votre majesté... Grand roi de tous les pays...

—Et l'on dit que tu parles également notre langue.»

«Cette fois, la question était en perse. J'avais appris à le parler avec des soldats et des marchands perses que je rencontrais à Milet. Mais mon vocabulaire n'était pas très étendu.

«Je peux me débrouiller», dis-je, cherchant vainement les formules officielles... que je finis par énoncer en grec.

«Darius se leva, puis me dit: «Tu nous accompagneras, Kotys. Je te confie aux soins du général Miltiade. Va!»

«Avant de quitter les lieux, je me retournai pour observer discrètement Darius. Le garde me poussa devant lui et je n'eus que le temps de remarquer sa longue barbe foncée et frisée, tombant en cascades sur sa vaste poitrine. Ensuite, je franchis à mon tour le pont flottant, mêlé aux soldats et aux nombreux ânes qui transportaient les bagages. En fin de journée, j'avais finalement rejoint les hommes de Miltiade.»

CHAPITRE 2

Un serviteur pénétra dans la salle et jeta dans le foyer les grosses bûches qu'il avait péniblement transportées dans ses bras. Les flammes se ravivèrent et remplirent la pièce de leurs crépitements secs et répétés.

«Je connais la suite des événements, fit Térès, cherchant un prétexte pour couper court au récit de Kotys. Tu peux reprendre ta place auprès du foyer.

—Laisse-le continuer, père, supplia Sitalcès, jeune fils de Térès, émerveillé par le charme magique du récit coloré du vieux Kotys.

—Bon, d'accord! Tu veux apprendre comment la Thrace est devenue une province perse? lança le roi sur un ton sarcastique. Alors écoute les paroles du vieillard! Et n'oublie pas ceci: ton père n'était pas encore né à ce moment-là. Sinon...»

Kotys revint à pas lents vers la table, puis enchaîna: «Les Thraces n'avaient guère d'autre choix devant la puissance des armées perses. Nous ne pouvions abandonner nos terres et fuir devant les soldats de Darius comme le firent les Scythes,... encore moins tenter de leur résister. Tout le monde sait ce qui est arrivé aux Gètes. Il n'y a aucun déshonneur à reconnaître ses limites!

—Qu'est-il arrivé aux Gètes? demanda alors le jeune homme.

—Les troupes perses venaient de traverser le pays des Odryses, longeant la côte et soumettant les villes grecques du littoral, les unes après les autres. Les chefs thraces, pour leur part, me reçurent très cordialement et je pus transmettre au grand Darius la soumission volontaire de chacun d'entre eux. C'est pour me récompenser de mon succès que Darius me fit remettre cent pièces d'or. J'avais contribué à éviter d'inutiles effusions de sang. Hélas, les tribus gètes n'eurent pas la sagesse des autres Thraces et ne suivirent par leur exemple. Un véritable suicide!

«Nous n'avions pas encore atteint les rives de l'Ister lorsque la bataille eut lieu. À l'aube, les cavaliers gètes lancèrent leur attaque contre l'avant-garde de l'armée perse qui avançait à travers une large plaine. Sans succomber à la panique, les archers perses se mirent immédiatement en position, à l'abri d'une ligne défensive composée de plusieurs rangées de fantassins. Ces derniers étaient armés de lances et serrés les uns contre les autres en une masse compacte et puissante. Les Gètes n'avaient aucune chance de percer le mur de soldats qui s'étendait devant eux. Lorsque la cavalerie de Darius les prit à revers, ils furent rapidement écrasés. Leurs chefs furent emmenés prisonniers, et nombre de guerriers gètes, réduits à l'esclavage. Quant aux autres, le grand Roi ordonna qu'ils soient intégrés à l'armée perse comme troupes auxiliaires. Voilà ce qui advint de ceux qui n'avaient pas su mesurer leur véritable force!»

Les dernières paroles de Kotys frappèrent Térès comme si la foudre était tombée à ses pieds. Le roi tressaillit nerveusement sur son siège et, d'un doigt menaçant pointé vers Kotys, lança d'une voix pleine de défiance:

«Je sais que les Gètes sont de braves et vaillants guerriers, comme nous. Mais *ton* Darius dirigeait tout de même une armée de sept cent mille hommes!

—Tiens, tiens, fit Kotys, un léger sourire aux lèvres. Les chiffres t'importent maintenant!

—Ce n'est pas ce que je veux dire, vieillard. Mais tu ne peux nier que *ton* Darius a échoué devant les Scythes...

—Ce qui montre bien, coupa Kotys sur un ton moqueur, que les chiffres n'expliquent pas toujours tout!

—Cesse de te moquer et raconte à ce jeune homme la défaite de *la* grande armée.

—À l'embouchure de l'Ister, à l'endroit où le fleuve se sépare en plusieurs branches, les navires nous attendaient. Les tyrans ioniens avaient exécuté les ordres du grand Roi et avaient construit un pont de navires afin que l'armée puisse facilement franchir le fleuve.

—Le pont a été défait ensuite?

—Non! Darius en a plutôt confié la garde au général Miltiade. J'étais là lorsque le grand Roi en a donné l'ordre. Il avait réuni tous ses généraux avant de s'enfoncer dans les steppes de la Scythie et il leur tint ce discours: «J'avais l'intention de détruire tous les navires et d'emmener tous les équipages avec moi par voie terrestre. Mais les judicieux conseils de Coès, fils d'Erxandre, chef des Mytiléniens, m'ont fait changer d'avis. Les Ioniens resteront donc sur place pour protéger le pont flottant jusqu'à mon retour. Prenez cette courroie de cuir. Elle comprend soixante noeuds. Défaites un noeud par jour, et si au bout de ces soixante jours je ne suis pas de retour, regagnez vos cités!»

—Tu es demeuré derrière avec Miltiade?

—Après cet entretien avec Darius, j'ai imploré Miltiade de me laisser partir avec la grande armée. «Si tu souhaites ta perte, petit, me dit-il, tu n'as qu'à les suivre!»

«Je crois qu'il connaissait les Scythes mieux que quiconque et qu'il souhaitait secrètement que Darius ne revînt jamais.

—Mais comment les Scythes, ces cavaliers nomades, ont-ils pu si facilement vaincre les Perses? demanda alors l'un des convives. Tu ne nous a jamais raconté cette histoire!

—Les Perses n'ont pas été «vaincus»... du moins, pas à la suite d'une bataille. Lorsque l'armée entreprit sa longue marche à travers les steppes, au nord de l'Euxin, les Scythes avaient déjà fui devant nous. Darius envoya sa cavalerie à l'avant-garde et, à nouveau, les Scythes se retirèrent. Les cavaliers scythes ne nous affrontèrent jamais, sauf lors d'escarmouches et d'opérations de harcèlement. Lorsqu'ils se retiraient devant nous, ils emportaient leurs vivres et leur bétail, puis brûlaient tout ce qui aurait pu être utile à l'armée de Darius. Les vivres vinrent à manquer. C'est à ce moment-là que les Scythes envoyèrent un messager au grand Roi. Je vais vous raconter en détail la rencontre, car Darius me consulta pour essayer de comprendre le sens du message que lui faisait parvenir le chef des Scythes.

«Le messager scythe était venu à cheval et avait présenté un sac à Darius. Il contenait un oiseau, un rat, une petite grenouille et cinq flèches. Le grand Roi s'attendait à y trouver un quelconque présent et, lorsqu'il vit ce que renfermait le sac, hurla de colère. «Par Ahura-Mazda, cria-t-il en jetant violemment le sac sur le sol, je veux voir ton message.

—Le voilà, indiqua le cavalier en désignant les animaux et les flèches.

—C'est un langage par images, fit Darius, qui fronça les sourcils et montra les objets à son entourage. Les flèches signifient sûrement que les Scythes sont sur le point de se rendre. Quant au rat, il habite sous la terre... l'oiseau...»

«Chacun y allait de ses interprétations, mais personne n'arrivait à donner un sens précis à l'ensemble des objets. Je fus moi-même incapable de percer le mystère. C'est alors qu'un des Perses qui faisaient partie de la cour de Darius, un certain Gobryas, déclara: «Je peux, ô grand Roi des Perses, te livrer la teneur du message: «*Si vous ne vous envolez pas rapidement comme l'oiseau, si vous ne cherchez pas refuge sous terre comme le rat, si vous ne fuyez pas au fond de l'eau comme la grenouille, vous serez tous frappés de nos flèches et jamais vous ne retournerez chez vous!* »

«Darius aurait dû se fier immédiatement à l'interprétation fournie par Gobryas. L'armée a repris sa marche et a traversé le fleuve Oaros. De jour en jour, la situation empirait. La steppe était toujours vide et les Scythes profitaient de la lassitude et de l'épuisement des pauvres soldats pour lancer sans arrêt des attaques-surprises contre nous. Les morts et les blessés ne se comptaient plus.

«Lorsque Darius se rendit compte que la victoire lui glissait entre les doigts et que les Scythes refusaient toujours la bataille, il ordonna de rebrousser chemin. Je crois que personne parmi les soldats ou les généraux ne contesta cette sage décision. Nous étions alors au bord de la famine. J'ai même vu des soldats et des chevaux abandonnés derrière nous parce qu'ils étaient trop faibles pour marcher!

«La retraite fut terrible! J'entendais les Perses qui murmuraient sans cesse: «Pourvu que les Ioniens nous attendent! Jamais nous n'aurons la force de retraverser l'Ister sans leur pont!»

«C'était la nuit lorsque l'avant-garde de l'armée toucha enfin les berges de l'Ister. Les soixante jours étaient passés et notre angoisse grandissait à l'idée que les Ioniens avaient pu quitter la région. Un messager se présenta auprès de Darius. «Nous ne voyons pas le pont, déclara-t-il. Les Ioniens sont repartis dans leurs cités.»

«Je fus pris de panique, comme les autres. J'étais à bout de force et je regrettais amèrement d'avoir cédé à mon impulsion et de m'être lancé à l'aventure dans ces steppes interminables. Cette nuit-là fut certainement la plus longue de toute ma vie! Au lever du soleil, je fus réveillé par des cris de joie qui éclataient de partout. Je courus vers l'endroit d'où venait la clameur et j'aperçus, au travers des brumes du matin, le pont des Ioniens qui avait réapparu comme par miracle. Ils l'avaient simplement tiré sur l'autre rive en nous attendant afin, paraît-il, de le protéger des Scythes qui rôdaient dans la région. L'armée perse franchit à nouveau le fleuve, puis reprit le chemin du retour en traversant nos terres, le long de la côte, où Darius trouva facilement les vivres qui lui manquaient.

—Pourquoi n'es-tu pas rentré chez toi, lors du passage des troupes perses à la hauteur d'Apollonia? demanda Térès. Je sais que tu n'as pas continué à suivre Darius jusqu'en Ionie, mais que tu as plutôt poursuivi ta route avec le général Miltiade.

—C'est une longue histoire, Térès, répondit le vieillard d'une voix presque éteinte. Je suis vieux et fatigué. Permets que je me repose. Je te raconterai plus tard...»

CHAPITRE 3

«Kotys! demanda Atalor, l'un des vassaux de Térès, en marchant à la rencontre du vieillard dans l'un des couloirs du palais. Est-ce que tu nous accompagnes dans la grande salle du trône? Tu sais que c'est aujourd'hui que le jeune Sitalcès choisit sa première épouse. Notre roi Térès donne un grand banquet pour souligner l'événement.

—Ah! fit le vieillard en riant..., le choix d'une épouse...

—Qu'est-ce qui te fait rire? s'enquit Atalor, intrigué par la réaction moqueuse de Kotys. Prendre femme, c'est sérieux!

—Je sais, je sais, Atalor! Je riais à la pensée de la bonne blague que j'ai faite lorsque j'ai pris, moi aussi, ma première femme.

—Tu ne l'as pas achetée, comme il convient à tous les Thraces?

—Tu sais que les plus jolies filles à marier se rassemblent sur la place publique et qu'un crieur les vend aux plus offrants parmi les hommes en quête d'une épouse. Alors, écoute comment j'ai réussi à obtenir la plus belle de toutes, sans qu'il m'en coûte ni chèvre, ni millet.

«Depuis quelques années, j'accompagnais Miltiade dans son exil auprès d'Oloros, un chef thrace du sud du pays. Il s'était brouillé avec le grand Darius, et le retour à Chersonèse, son royaume, lui était impossible, étant donné les circonstances. J'ai donc décidé de m'établir et de me touver femme. C'est là que j'ai proposé à mes amis le stratagème qui devait me procurer gratuitement une épouse.

«Au lieu d'offrir un prix de plus en plus élevé et de faire monter les enchères, leur dis-je, nous allons proposer des quantités minimes. De cette façon, toutes ces jolies filles devront, pour se marier, offrir elles-mêmes une dot, comme doivent le faire, selon la coutume, celles qui sont moins favorisées par la nature!»

«Tout s'est déroulé comme prévu, à la consternation du crieur, évidemment, et sous le regard hargneux de toutes ces belles dames qui croyaient faire fortune en vendant leurs charmes et leur gentillesse! Hégésèpyle, à qui je rendais cependant visite depuis longemps – presque toutes les nuits en fait –, dut même m'offrir son collier d'or pour que je l'épouse!»

Kotys se mit à rire de plus belle à l'évocation des yeux de rage d'Hégésèpyle, obligée de le suivre.

«Elle t'en a gardé rancune longtemps?

—Oh! non! rétorqua Kotys, l'oeil sévère. Dans la maison d'un thrace, ce n'est pas aux femmes de commander!

—C'est bien dit! déclara Atalor en donnant une tape amicale sur l'épaule du vieillard. Mais une chose m'intrigue Kotys. Tu es demeuré tout ce temps avec ton général grec, ce Miltiade?

—Je crois que je suis revenu d'Athènes neuf ou dix ans avant que Térès ne fonde le royaume des Odryses. Donc, il s'est écoulé environ trente-cinq ans entre la grande campagne de Darius contre la Scythie et mon retour définitif au pays. Et au cours de ces trente-cinq ans, j'ai servi Miltiade comme aide de camp pendant vingt ans, jusqu'à sa mort.

—Miltiade n'est-il donc jamais rentré chez lui?

—Des chefs ioniens jaloux et ambitieux avaient prétendu que Miltiade avait trahi Darius alors qu'il gardait le pont de navires sur l'Ister. Certains avaient rapporté au grand Roi que le général grec leur avait proposé de démonter le pont et de laisser les Perses se débrouiller seuls avec les Scythes.

—Et alors?

—Miltiade a peut-être fait une telle proposition, je n'en sais rien. Je me trouvais dans les steppes à ce moment-là. Une chose cependant est certaine: lorsque Darius fut mis au courant par l'un de ces Ioniens, nous avons dû fuir à l'intérieur du pays et demander asile auprès d'Oloros, le chef thrace qui avait déjà donné sa fille en mariage à Miltiade. C'est ainsi que je n'ai pu, avant de nombreuses années, mettre les pieds dans Chersonèse. Puis un jour, un messager apporta la nouvelle que toutes les villes grecques de la côte ionienne s'étaient soulevées contre Darius. Miltiade n'hésita pas un instant et nous partîmes sur-le-champ. Il espérait reconquérir son royaume et, de là, traverser en Asie Mineure et apporter son aide aux cités rebelles...

—Contre Darius, le roi des Perses?» questionna Atalor. Il comprenait mal la volte-face de Miltiade qui, à l'origine, avait servi dans l'armée du grand Roi.

«Miltiade était un militaire de génie, reprit Kotys. Tout comme nous, il savait que ses propres soldats n'auraient jamais pu tenir tête aux Perses. Il valait mieux servir ces derniers plutôt que de subir le triste sort réservé aux vaincus.

—Et la révolte des villes grecques d'Ionie lui fournissait l'occasion de retrouver son autonomie face aux Perses...

—Ta déduction est juste, Atalor. Sauf que les cités rebelles furent amèrement vaincues. Milet, la grande métropole où tous les commerçants du monde se rencontraient, tomba sous les assauts perses et fut totalement rasée...

—Et toi?

—J'étais déjà loin lorsque les Perses écrasèrent définitivement les rebelles. Miltiade avait pris la décision de gagner Athènes par bateau et, encore une fois, je n'ai pu résister au plaisir d'un voyage. J'avais, d'ailleurs, grande envie de connaître la ville de la déesse Athéna. Rien ne laissait prévoir que j'allais vivre là-bas les moments les plus intenses et les plus dramatiques de mon existence!»

À l'instant même où Atalor, piqué de curiosité par les dernières paroles de Kotys, allait poser une nouvelle question, des sons de flûte envahirent les corridors du palais.

«C'est le cortège de Sitalcès, déclara-t-il, déçu de ne pouvoir continuer à explorer le passé merveilleux du vieillard. Tu me reparleras d'Athènes, n'est-ce pas Kotys?»

«Je lève ma coupe au bonheur de Sitalcès et à la gloire du royaume des Odryses!

—Longue vie à Térès», lancèrent en choeur les nombreux invités.

La salle du trône était bondée. Térès avait convoqué au palais tous les chefs thraces, y compris ceux des anciens clans ennemis. Le mariage de son fils revêtait un caractère politique dont l'importance n'échappait pas à l'oeil perspicace du vieux Kotys.

«Que Sitalcès soit à son tour le symbole de l'unité de tous les Odryses! déclara Kotys d'une voix forte et encore ferme malgré son âge avancé. N'oublions pas la leçon que nous ont donnée les Grecs à Marathon et à Salamine. C'est grâce à l'union de leurs forces qu'ils évitèrent leur destruction totale par les Perses. Tant et aussi longtemps que nous, les Thraces, obéirons à un seul roi, nos ennemis ne pourront rien contre nous!

—Le vieillard a raison, ajouta Sitalcès en se levant au milieu des convives. Comme pour la plupart d'entre vous, Marathon et Salamine ne représentent pour moi que des noms de grandes batailles. Elles ont, dit-on, sauvé la Grèce de l'occupation perse et, finalement, chassé les Perses de notre territoire. Avec la permission de mon père, je demande à Kotys de distraire nos invités en nous racontant comment les Grecs ont vaincu les Perses à Marathon.

Un léger murmure d'approbation parcourut la salle, et Térès, réjoui de l'initiative de son fils, déclara: «De toutes les aventures racontées par le vieux Kotys, c'est celle que je préfère. Approche, vieillard!»

Kotys ne se fit pas prier. Lorsqu'il avait l'occasion de décrire ses expériences, il devenait un autre homme. Il revivait. Les images surgissaient dans son esprit et tout, autour de lui, semblait disparaître.

«Je me trouvais auprès de Miltiade, élu général des forces militaires d'Athènes. La flotte perse s'approchait des côtes et allait débarquer dans la baie de Marathon. «Que les hoplites se mettent en marche! ordonna-t-il. Nous devons protéger Athènes le plus longtemps possible en attendant les renforts de Sparte.»

«J'étais convaincu que les Perses, beaucoup plus nombreux que nous, allaient nous écraser comme des mouches et nous expédier dans l'au-delà. Mais j'avais compté sans la bravoure et la discipline des hoplites d'Athènes. C'était la première fois que je voyais à l'oeuvre ces magnifiques fantassins aux lances à pointe de fer longues comme deux hommes, aux lourds boucliers ronds, faits de cuir à l'intérieur et de bronze à l'extérieur, et aux cuirasses de cuir recouvertes de plaques métalliques. Au combat, ils devenaient féroces comme des lions!

«Au moment où la flotte de Darius commença sa manoeuvre de débarquement sur la plage, nous occupions la crête d'une petite colline située à quelques cinq cents pas de là, barrant la route vers le sud en direction d'Athènes. Des hauteurs, j'observais avec effroi cette masse d'hommes, au moins quatre fois plus nombreux que les hoplites de Miltiade, qui envahissait la plage. Je suivis attentivement la manoeuvre des Perses et je constatai qu'une partie des navires prenait le large. J'avertis aussitôt Miltiade.

«Darius est rusé, grogna-t-il lorsqu'il vit à son tour les navires se diriger vers Athènes. Les Perses veulent nous clouer ici avec leurs fantassins et, pendant ce temps, effectuer un second débarquement en face de la ville avec leur cavalerie!»

«Miltiade fit donc avancer rapidement les hoplites dans la plaine, face aux Perses qui commençaient à former leurs lignes d'attaque. Les phalanges d'hoplites se dressaient, très fières, et, au moment précis où les Athéniens arrivèrent à portée de flèches, Miltiade donna l'ordre de charger au pas de course.»

Kotys reprit son souffle. Un lourd silence planait dans la salle du banquet. Chacun des convives était suspendu à ses lèvres et buvait ses paroles. Après s'être épongé le front, il reprit: «Quel spectacle! Les Perses ne s'attendaient pas à cette charge éclair. Malgré la pluie de flèches qui s'abattait sur eux, les hoplites réussirent à faire plier le centre de la ligne perse. Les ailes cédèrent rapidement sous les coups des hoplites et elles furent bientôt mises en déroute. Les fantassins de Darius, qui formaient le centre de l'armée perse, continuaient à résister farouchement. C'est alors que les deux ailes d'hoplites, au lieu de se lancer à la poursuite des fuyards, se replièrent sur les flancs de l'ennemi. Pendant quelques minutes, les corps à corps furent terribles. Les cris des hoplites fusaient de tous côtés, et les Perses, pris de panique devant la vitesse de l'offensive, abandonnèrent leurs positions. Certains coururent vers les navires qui amorçaient leur départ. D'autres s'enfuirent dans les marais. Le glaive de la mort avait frappé partout, surtout du côté des Perses et de leurs alliés. Du côté des hoplites, on rapporta à Miltiade que seuls cent quatre-vingt-douze d'entre eux avaient donné leur vie lors du combat.

—Et les autres navires? demanda Sitalcès, réalisant soudainement que l'invasion perse était loin d'être terminée.

—Tu fais allusion aux navires envoyés à Athènes pendant que nous nous battions à Marathon?

—Ceux-là mêmes!

—N'aie crainte! C'était le second objectif de Miltiade, et il ne tarda guère à s'en occuper. Dès que les derniers Perses réfugiés dans les marais furent tués, il rappela ses hoplites, reforma les rangs, et la troupe prit la route vers Athènes au pas de course.

—Tu ne veux tout de même pas dire que vous avez parcouru en courant la distance qui sépare Marathon d'Athènes?

—Exactement! Deux mille cinq cents pas en tout! Le choc des armes faisait un bruit d'enfer, et la poussière de la route s'élevait comme si un feu de broussailles se répandait dans la plaine. Je n'avais plus la vigueur de ces jeunes soldats, et mon soulagement fut immense lorsque je vis enfin les murailles éclatantes d'Athènes.

—Les Perses ont-ils à nouveau débarqué?

—Non! Croyez-le ou non, nous avions réussi, grâce à cette course folle, à atteindre la ville une heure avant eux. En nous apercevant, Darius a préféré rebrousser chemin et refaire voile vers l'Asie.

—C'est fantastique! s'exclama Sitalcès, rempli d'enthousiasme et visiblement satisfait de la tournure heureuse des événements. Tu devras un jour nous faire part de ton aventure à Salamine! Je trouve ces récits de grandes batailles passionnants!

—Je te le promets, Sitalcès», répondit Kotys.

Hélas, Kotys, ce soir-là, avait raconté sa dernière histoire. Au début du printemps, dès les premiers signes de la belle saison, il tomba malade. Des médecins grecs des villes côtières furent appelés à son chevet. Aucun remède ne le put sauver. Il avait parcouru une longue route, et ses voyages étaient terminés... Avant de mourir, il fit appeler Sitalcès auprès de lui.

«J'ai quelque chose à t'offrir, dit-il au jeune prince. C'est un objet précieux que m'a remis mon grand-père Acamas et qu'il tenait, je crois, de sa grand-mère. Il est dans notre famille depuis de très nombreuses générations... J'ignore si mes enfants vivent encore aujourd'hui. C'est la raison pour laquelle je te confie ce pendentif en or. Il représente une vache, avec ses cornes, symbole des troupeaux de bétail de mes lointains ancêtres. Garde-le! Il te portera chance... comme si tu étais mon propre fils...»

Sitalcès, ému par le geste de Kotys, promit de ne jamais s'en séparer et de faire honneur à la confiance que le vieil homme avait placée en lui.

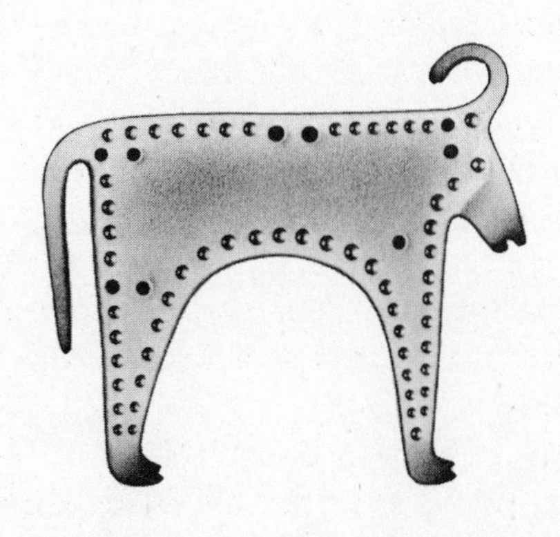

CHAPITRE 4

Térès gouverna pendant près de trente ans le royaume des Odryses. Sa renommée s'étendait partout et la popupation saluait en lui l'incarnation vivante du grand Héros thrace. Les Scythes, qui stationnaient sur les frontières nord-est du royaume, surent reconnaître sa puissance et sa sagesse. Ils conclurent même un pacte d'amitié avec lui. Les villes grecques de la côte acceptèrent son autorité et lui versèrent un tribut.

À la mort du roi Térès, son fils Sitalcès monta sur le trône et mena le royaume des Odryses au faîte de sa gloire. Les Athéniens s'allièrent à lui et accordèrent même à son fils, Sadokos, le titre honorifique de citoyen d'Athènes.

Un jour, Sitalcès décida d'entreprendre la conquête d'une région qui s'étendait au sud-ouest du pays: la Macédoine. La contrée était alors peuplée de montagnards qui vivaient de chasse et d'élevage.

«Avec l'aide de la flotte d'Athènes, avait lancé Sitalcès à ses généraux, nous viendrons sans peine à bout de ces rustres gouvernés par Perdiccas!

—À la condition que les Athéniens respectent leurs engagements! souligna l'un d'eux. La trop grande puissance de notre royaume risque peut-être de les gêner.

—Ils n'ont rien à craindre de nous, affirma Sitalcès. D'ailleurs, n'avons-nous pas de nos peltastes combattant à leurs côtés contre la ville de Sparte?

—Je dois avouer que nos fantassins sont très appréciés par Athènes, et même par les autres villes grecques qui les engagent comme mercenaires.

—On m'a récemment raconté, enchaîna le roi, qu'à la vue de la grande taille de nos soldats, les Athéniens sont parfois frappés de stupeur et d'effroi. Il y a même une commerçante qui s'est enfuie, abandonnant sa marchandise, devant un fantassin armé d'un pelta et d'une javeline qui voulait lui acheter des fruits.»

Un grand éclat de rire s'empara du roi et de son entourage. Les discussions sur les préparatifs de l'opération militaire reprirent.

Siltacès était un homme énergique et déterminé, comme son père. Son entourage admirait son esprit de décision. À la sortie de l'audience, les généraux, encouragés par l'enthousiasme de leur roi et devant la perspective d'une opération militaire facile, donnèrent les ordres nécessaires à leurs officiers en vue de la prochaine campagne.

*

Lorsque la nouvelle de la mobilisation des troupes parvint au village, Médocus courut à la maison. Des cavaliers sillonnaient les campagnes et, de village en village, annonçaient que Sitalcès réclamait le rassemblement de tous les hommes disponibles afin qu'ils rejoignent sans délai les forteresses de leur vassal respectif.

Sur le seuil de sa demeure en bois, Médocus fut ému de voir Mycia, sa jeune épouse, donner le sein à leur premier-né. Ses longs cheveux noirs couvraient une partie de son visage. Lorsqu'elle entendit la porte se refermer, elle leva doucement la tête. Médocus garda le silence. Il ne comprenait pas pourquoi les hommes aimaient tant se faire la guerre et il acceptait mal d'être contraint de se séparer de celle qu'il avait toujours chérie depuis qu'il l'avait choisie pour épouse.

«Je pars à la guerre, avoua-t-il à la jeune femme. Le roi l'exige.

—Mais...

—Nous n'avons guère le choix. Si je n'obéis pas, je serai vendu comme esclave.

—Notre fille n'a que quelques jours...

—Je demanderai à ma mère de venir s'occuper de toi et à mon frère Amadocus de me remplacer à la ferme pendant mon absence. Malgré sa jambe coupée, il peut rendre beaucoup de services pour les gros travaux.

—Ce n'est pas le travail qui m'effraie!

—Je sais, répliqua Médocus d'une voix empreinte de tristesse. Mais te laisser seule m'inquiète. Jamais je n'ai voulu d'autres femmes dans la maison. S'il y a des hommes qui trouvent honorable de posséder plusieurs épouses, moi, je ne veux partager mon bonheur qu'avec toi.

—Encore faut-il que tu sois vivant, Médocus, rétorqua la jeune femme. Elle souleva le frêle enfant et le déposa sur ses genoux. Notre fille a encore besoin de toi, son père. Alors, ne joue pas au héros. Dès que les hommes sont transformés en soldats, ils se comportent comme s'ils étaient immortels. Pense à ton père. Un jour, il est parti pour je ne sais quel pays, et il n'est jamais revenu.

—Je te jure que je me ferai discret. Je déteste trop les tueries pour chercher à me distinguer sur un champ de bataille.»

Médocus s'approcha de Mycia et, posant un genou au sol, l'enveloppa de ses bras amoureux et l'embrassa tendrement. Son coeur battait à tout rompre dans sa poitrine tandis qu'un vague pressentiment envahissait son esprit. Il le chassa aussitôt et préféra ignorer le sombre présage qui semblait vouloir le mettre en garde contre la fatalité.

Le lendemain matin, les hommes du village se rassemblèrent près du puits. L'heure du départ avait sonné. Médocus, avec son bouclier et sa javeline, avait rejoint les autres. Sans véritable enthousiasme, la troupe s'ébranla, laissant derrière elle la foule des femmes, des enfants et des vieillards venus les saluer une dernière fois. Mycia, le regard stoïque, refoula avec peine ses larmes et regarda longtemps Médocus et les hommes de son village disparaître peu à peu dans le lointain.

Les troupes de Sitalcès avaient emprunté une route récemment construite et traversaient les forêts qui couvraient les montagnes du sud-ouest. Des arbres avaient été abattus, ce qui permettait aux cinquante mille cavaliers et aux cent mille fantassins du roi de traverser la région menant vers la Macédoine. Médocus faisait partie d'un contingent de peltastes. L'armement de ces fantassins était léger: une lance à pointe de bronze et un bouclier en forme de croissant de lune. Ce dernier était de fabrication artisanale et Médocus en avait lui-même assemblé les éléments. Sur un cadre d'osier, il avait d'abord fixé une grande peau de vache. Ensuite, il avait collé plusieurs couches successives de peaux les unes aux autres, pour bien se protéger contre les flèches ennemies. Médocus n'avait cependant pas les moyens de se payer une riche armure de bronze, ni même une simple cuirasse. Il portait pour tout vêtement, une courte tunique et des sandales de cuir dont les lanières étaient attachées jusqu'à mi-jambe.

Autour de lui, il apercevait pour la première fois les fameux Gètes dont il avait maintes fois entendu vanter les qualités de farouches cavaliers. Ils galopaient fièrement aux côtés de Sitalcès, leurs arcs meurtriers à l'épaule. À la suite des Odryses et des Gètes suivaient un grand nombre de guerriers de tribus thraces voisines du royaume de Sitalcès. Attirés par la perspective de revenir avec un riche butin, ils avaient volontairement rejoint l'expédition. Médocus fut très étonné de voir que les montagnards qui habitaient sur les frontières de la Macédoine s'étaient également joints à l'armée. Habillés de vêtements de peau, les cheveux longs et ébouriffés, ces guerriers au regard menaçant avaient la réputation de manier le glaive avec une adresse qui ne laissait aucune place pour la pitié. Mieux valait les retrouver dans les rangs de Sitalcès, pensa alors Médocus, qui n'appréciait guère ce ramassis d'hommes de tous horizons.

*

Les jours passaient et l'hiver s'annonçait plus tôt que prévu. La veille, une neige abondante avait recouvert le camp de Sitalcès, monté devant la ville d'Europos. La cité de Perdiccas résistait toujours et les

Odryses commençaient à manquer de vivres. Ce soir-là, Sitalcès tint conseil.

«Les Macédoniens n'osent pas nous affronter! s'écria-t-il devant ses généraux et les chefs des tribus alliées. Ils préfèrent s'esquiver comme des pleutres et attendre que la mauvaise saison s'installe et nous forcer à rebrousser chemin.

—Nous n'avons pas les moyens d'assiéger leurs places fortes affirma l'un des généraux.

—Il nous faut tout de même reconnaître que leurs cavaliers sont de rudes combattants, ajouta Seuthis, le neveu de Sitalcès. Ce qui joue en notre faveur, c'est que nos guerriers sont plus nombreux que les leurs.

—Et les Athéniens? reprit Sitalcès sur un ton agressif. Où sont leurs navires? Pourquoi n'arrivent-ils pas comme promis? Je ne peux me permettre d'attendre plus longtemps!

—Je te propose de négocier avec Perdiccas, suggéra Seuthis à la surprise de tous. Tu veux installer à sa place, comme roi de Macédoine, Amyntas, le fils de son frère Philippos. Reconnais que tant que Perdiccas te fuira, tu ne seras jamais en mesure d'atteindre tes objectifs politiques.

—Négocier avec ce rustre? Il ne tient jamais ses promesses!

—Et si je me rendais auprès de lui? proposa alors Seuthis. Il accepterait peut-être de concéder une partie de son royaume à son neveu en échange de notre retrait.

—Seuthis nous présente là une solution fort intéressante, Sitalcès, déclara l'un des chefs gètes. L'hiver est sur nos talons, et mes cavaliers deviendront bientôt inefficaces si le froid continue à sévir aussi intensément.

—Prends un contingent de fantassins légers avec toi, ordonna le roi à son neveu, et rapporte-moi vite la réponse de Perdiccas. Je t'accorde deux jours. Après ce délai...

—Je n'ai besoin que d'une journée, Sitalcès. Mes hommes m'ont signalé sa présence derrière la colline. Je vais envoyer immédiatement un messager pour lui annoncer ma venue....»

CHAPITRE 5

«Gardez votre calme! cria Seuthis en maintenant fermement la bride de sa monture. Les hommes de Perdiccas sont là pour nous conduire au camp de leur chef.»

Médocus souhaitait de toutes ses forces que Seuthis dise vrai, car devant leur petite troupe, une centaine de cavaliers et d'archers avaient surgi de la forêt et leur barraient la route.

«Je viens de la part de Sitalcès, hurla Seuthis. Qui est votre chef?»

Un homme casqué de cuir et vêtu d'une cuirasse légère fit avancer son cheval en direction de Seuthis.

«Je me nomme Théolytis, affirma l'homme en s'approchant de Seuthis. Le roi Perdiccas m'a chargé de t'accompagner auprès de lui. Prends quelques peltastes avec toi. Les autres resteront ici.»

Seuthis acquiesça et, faisant pivoter sa monture, s'adressa aux fantassins qui lui servaient d'escorte.

«Que les cinq premiers me suivent! Quant aux autres, montez un camp de fortune et allumez un feu. Je ne veux pas vous retrouver complètement gelés à mon retour!»

Seuthis éperonna sa monture et s'engagea à la suite du guerrier macédonien. Médocus et les quatre autres peltastes désignés hâtèrent le pas afin de se placer de chaque côté de leur chef. Après avoir traversé le ruisseau qui coulait en bordure de la forêt, Seuthis aperçut son messager qui attendait, sous bonne garde, près d'une large tente de toile.

«Tes hommes vont demeurer à l'extérieur, déclara Théolytis en descendant de sa monture. Je te conduis au roi des Macédoniens.»

Seuthis imita le geste de son guide et confia la bride de son cheval à Médocus.

«Prends-en grand soin, dit-il souriant. Si nous sortons vivants d'ici, peltaste, je te promets une monture semblable!»

Médocus sursauta, étonné d'entendre la promesse de Seuthis. Ses compagnons ne ratèrent pas l'occasion de manifester leur envie.

«Te voilà devenu cavalier! fit l'un d'eux.

—Un trophée de choix lorsque tu seras de retour dans ton village!» lança un autre.

*

Une lueur blafarde éclairait l'intérieur de la tente. Perdiccas, seul et sans arme, attendait, debout, son visiteur. C'était un homme solide, et Seuthis fut immédiatement frappé par l'acuité et l'intelligence de son regard.

«Prends un siège, Seuthis, déclara-t-il sur un ton amical. Ton oncle Sitalcès a une proposition à me transmettre?

—En réalité, Sitalcès exige que tu reconnaisses les droits de ton neveu Amyntas sur les terres de ton frère Philippos que tu as chassé de ton royaume.

—De quel droit Sitalcès exige-t-il quelque chose de moi? hurla Perdiccas. Son armée n'est même pas en mesure de m'imposer sa volonté, et il voudrait que je me soumette par l'entremise d'un messager. C'est tout à fait ridicule!

—Je reconnais que nous sommes en assez mauvaise posture, rétorqua Seuthis qui cherchait un nouveau terrain de négociation. Le froid nous assaille déjà, et nos deux armées n'ont plus aucun avantage à continuer cette guerre... inutile.»

Perdiccas comprit immédiatement l'ouverture que lui offrait discrètement son interlocuteur. Seuthis pouvait peut-être s'avérer plus utile que prévu.

«Je devine, à tes propos, que tu ne verrais pas d'un mauvais oeil un retour immédiat dans ton pays, n'est-ce pas?

—Nous avons récolté plus de butin que nous ne pouvons en transporter. Je suis donc d'avis d'en finir sur-le-champ avec cette campagne qui ne mène nulle part.

—Dans le royaume des Odryses, tu es l'homme le plus puissant, après Sitalcès. Alors, convains-le de retirer ses troupes et de rebrousser chemin. En retour, je t'offre la main de ma soeur, Stratonikè, ainsi qu'une généreuse dot pour votre mariage.»

Seuthis ne répondit pas immédiatement. La proposition de Perdiccas était tentante. Il était sensible au charme féminin, et la soeur du roi macédonien avait une réputation de beauté et de sensualité qui ne pouvait le laisser indifférent.

«C'est entendu! déclara Seuthis. J'obtiens de Sitalcès de quitter ton royaume et tu m'envoies ta soeur et sa dot. Toutefois, Perdiccas, je demande que demeure secrète la teneur de notre entretien.

—Par Zeus! J'en fais le serment, s'écria Perdiccas, réjoui d'avoir trouvé le point faible de son interlocuteur.» Ainsi, il mettait fin à ses déboires.

*

D'épais nuages gris avaient recouvert le ciel et, poussée par des vents violents, une pluie glaciale transperçait jusqu'aux os hommes et bêtes. Seuthis et sa petite escorte rejoignirent les peltastes laissés derrière et reprirent aussitôt le chemin du retour vers le camp de Sitalcès. Encouragé par la perspective de posséder son propre cheval, Médocus ne sentait plus les morsures du froid et marchait d'un pas presque serein. Arrivé à courte distance du camp, face à la ville assiégée d'Europos, son attention fut soudainement attirée par un mouvement insolite. En bordure du sentier, un énorme ours noir se cachait derrière un bosquet, prêt à bondir.

«Prends garde, Seuthis!» cria Médocus en s'élançant vers la bête.

L'ours fonçait déjà sur la monture de Seuthis. Lorsqu'il sentit les griffes acérées de l'animal labourer ses flancs, le cheval hennit de dou-

leur et projeta son cavalier au sol. Médocus courut vers l'ours, empoigna fermement sa lance et le frappa à plusieurs reprises. L'animal se retourna alors vers Médocus, ses larges pattes menaçantes levées bien haut. Médocus s'approcha de lui et planta son arme au travers de la gorge de la bête. L'ours rugit de douleur et s'écroula lourdement à quelques pas de Seuthis, toujours étendu sur le sol mouillé. Voyant que l'ours ne bougeait plus, les autres peltastes s'avancèrent prudemment vers l'animal.

«Tu m'as sauvé la vie! déclara Seuthis en se relevant péniblement. Tu as fait preuve d'un grand courage. Si tu acceptes, je te prends à mon service. Les hommes de ta trempe sont rares.»

Médocus, encore sous le choc de son combat avec l'ours, fut incapable de prononcer la moindre parole.

«Alors, c'est d'accord! conclut Seuthis en lui donnant une tape amicale sur l'épaule. Et ce soir, pour souligner ton exploit, je vais te présenter à notre grand roi Sitalcès.»

*

La nouvelle se répandit comme l'éclair parmi les hommes. Sitalcès avait ordonné la levée du siège et le retour des troupes en Thrace. Seuthis n'avait, en fait, suscité aucune objection sérieuse de la part de son oncle Sitalcès. Ce dernier souscrit d'emblée aux arguments que Seuthis lui avait si brillamment exposés. La victoire était devenue impossible à cause du froid qui paralysait la fougue de ses soldats, et la ration des vivres commençait à rendre les hommes maussades.

Lorsque Seuthis raconta comment il avait failli ne pas revenir vivant, Sitalcès s'exclama sur un ton moqueur: «Ah! Ces ours macédoniens! Ils sont plus dangereux que Perdiccas lui-même!

—Sans la réaction rapide de Médocus, le peltaste, il t'aurait fallu chercher un autre successeur!

—Fais venir ce Médocus, fit alors Sitalcès, curieux de rencontrer le vainqueur de l'ours. Je lui dois, moi aussi, toute ma reconnaissance de t'avoir sauvé la vie.»

Seuthis donna un ordre et, quelques instants plus tard, un garde introduisait Médocus, tremblant, dans la tente de Sitalcès.

«Approche, jeune homme! lança Sitalcès. Tu as grandement obligé ton roi, aujourd'hui. Que souhaites-tu obtenir en retour? De l'or? Des chevaux? Des terres? Parle! C'est toi qui commandes!»

Médocus n'osa pas avancer d'un pas. Il ne comprenait pas ce qui lui arrivait. Défendre Seuthis contre l'ours n'avait été qu'un geste naturel, instinctif.

«Je suis soldat, balbutia-t-il maladroitement, l'ours... j'ai pris ma lance...

—Ne sois pas modeste, rétorqua Seuthis. Tu es le seul de mon escorte qui ait bougé. Tes compagnons sont demeurés immobiles comme des pleutres!»

Pendant que Seuthis tentait de mettre Médocus à l'aise en racontant à nouveau tous les détails de son exploit, ce dernier porta son regard sur Sitalcès.

«C'est l'un de vos bijoux?» demanda timidement Médocus en montrant du doigt le pendentif que portait le roi sur la poitrine.

—Si tu espères l'obtenir, fit Sitalcès, en fronçant les sourcils, tu devras en choisir un autre. Celui-ci m'est plus précieux que toute chose.

—C'est un objet très ancien, n'est-ce pas?»

Médocus parlait avec plus d'assurance. Il était visiblement intrigué par le pendentif en or qui épousait la forme stylisée d'une vache à cornes.

«Ma grand-mère m'a souvent parlé d'un objet semblable que mon grand-père portait toujours sur lui, ajouta-t-il, essayant de se remémorer ses souvenirs d'enfant. Mais lui, je ne l'ai jamais connu. Il est parti au loin lorsque mon père n'avait que quelques années.»

Sitalcès s'était redressé sur son siège. Son regard devint sévère. Puis, stupéfait de l'idée qui venait de le saisir, il demanda, d'une voix tremblante.

«Connais-tu le nom de ton... grand-père?

—Je crois qu'il s'appelait Kotys.»

En entendant ce nom, Sitalcès se leva.

«Tu as dit «Kotys»?

—C'est le nom que ma grand-mère Hégésèpyle utilisait lorsqu'elle me parlait du pendentif en forme de vache qu'il portait toujours précieusement sur lui.

—Et ton grand-père n'est jamais revenu?

—Non! Notre famille venait de la région d'Apollonia, je crois. Mais nous ne possédions plus rien. C'est mon père qui nous a installés dans le village d'où je viens.»

Sitalcès était sidéré. Il avait devant lui le petit-fils du fameux Kotys qui, jadis au palais, l'avait émerveillé par ses aventures extraordinaires. Pendant un moment, il demeura sans réaction, figé devant cette découverte inattendue.

«Je savais que mon sauveur avait du sang de chef! déclara Seuthis. Médocus est vraiment le digne descendant de son grand-père!

—Prends ce pendentif, dit alors Sitalcès, qui reprenait peu à peu ses sens. Il t'appartient. Kotys me l'avait donné parce qu'il était seul, sans famille. Mais c'est toi sa famille. Garde-le! Il te protégera à ton tour...»

*

Médocus fut couvert d'honneurs et Sitalcès le nomma conseiller. Il le rétablit dans ses terres ancestrales au nord du royaume, lui accordant le titre de vassal et de protecteur d'Apollonia. Mycia, jeune et tendre épouse de Médocus, devint châtelaine. Ne reniant jamais ses origines de fille de la campagne, elle veilla toute sa vie à ce que les paysans soient bien traités. Elle préféra une vie plus modeste au faste orgueilleux des autres vassaux du royaume.

Les années passèrent. Sitalcès mourut au cours d'une campagne militaire dirigée contre les Tribales, des Thraces habitant la région située au sud-est et demeurés jusqu'alors insoumis. Ses successeurs, les Seuthis, Cotys, Chersoblèptes ne purent, cependant, retrouver les heures de gloire et de grande richesse qu'avait connues la Thrace des Odryses à l'époque du grand roi Térès et de son fils Sitalcès.

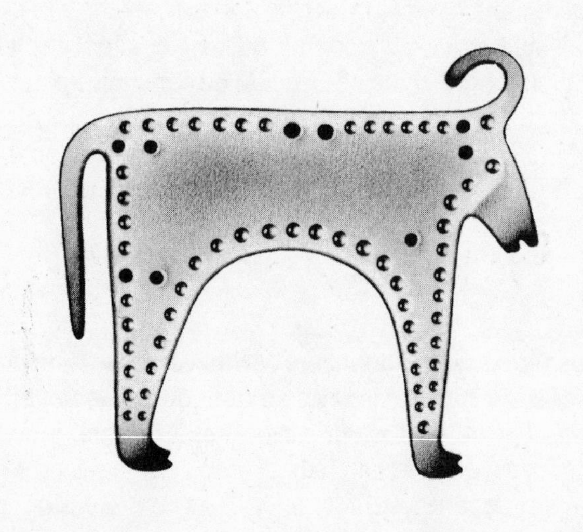

SIXIÈME PARTIE

Tauricès, le gladiateur

CHAPITRE PREMIER

«Nous continuerons à pied!»

La monture de Tauricès venait de s'affaisser dans les buissons. Les naseaux dilatés, le pauvre cheval avait peine à respirer après la course folle à travers les champs. Depuis plus de deux heures, les derniers guerriers du chef thrace tentaient désespérément d'atteindre la montagne afin de trouver refuge dans les boisés denses qui en couvraient les versants. Mais les cavaliers du décurion Marcellus ne lâchaient pas facilement leur prise. Marcellus avait ordre de ramener le chef thrace vivant. Depuis plusieurs mois, Tauricès et ses guerriers harcelaient avec succès la légion romaine de Marcus Livius Drusus, gouverneur de la Macédoine.

«Gagne la forêt! cria l'un des peltastes à Tauricès. Nous allons arrêter ces Romains et protéger ta fuite.»

Les trois derniers compagnons de Tauricès demeurèrent à cheval et formèrent une ligne défensive, attendant de pied ferme les cavaliers romains qui s'approchaient au galop. Tauricès, glaive en main, s'enfonça à travers les arbres et disparut. Déjà, les soldats de Marcellus avaient rejoint les fugitifs, et le cliquetis des armes résonnait du combat acharné que livraient les guerriers thraces contre l'envahisseur. En entendant les cris de ses hommes, Tauricès arrêta sa course. Non loin de là, un immense rocher couvert d'une mousse verdâtre et brune s'élevait tel un dolmen au milieu des arbres. Il le scruta attentivement et découvrit à sa base une cavité qui semblait offrir la cachette qu'il espérait. Tauricès enleva son casque et son armure de bronze et les glissa à l'intérieur de la cavité. Au même moment, des craquements sourds lui indiquèrent qu'il n'était plus seul dans la forêt et qu'il ne s'agissait pas de ses guerriers, dont il n'entendait plus les voix. Tauricès comprit que les Romains approchaient. Sans perdre un instant, il retira son pendentif en or et, déchirant une partie de sa tunique, l'enveloppa minutieusement. Aux yeux de Tauricès, l'objet avait plus de prix que sa propre vie. Ce pendentif en forme de vache à cornes était le symbole vivant de ses ancêtres lointains. Il n'accepterait jamais que des étrangers s'en emparent comme butin de guerre. Mieux valait l'enfouir à tout jamais afin qu'un sacrilège ne soit pas commis. Les soins des femmes et des hommes qui l'avaient jalousement conservé pendant plusieurs générations devaient être respectés. Alors que les pas se rapprochaient, Tauricès glissa l'objet dans la cavité et en camoufla l'ouverture avec des feuilles mortes.

Le glaive à la main, il se dressa, dos au rocher, dans l'attente de son ultime combat. Voyant les Romains progresser de tous côtés, il implora en pensée, une dernière fois, le grand Héros des Thraces, le guerrier divin de son peuple, afin qu'il supporte son bras et lui accorde la vigueur nécessaire afin de se montrer digne du dieu de la guerre.

Marcellus se planta à quelques pas devant lui, entouré des autres soldats, lances à la main.

«Rends-toi, Thrace! ordonna le décurion d'une voix forte et ferme. Tu ne peux plus rien contre nous.»

Tauricès répondit en levant son arme en direction de l'officier romain. Aussitôt, les soldats bondirent vers lui avec leurs lances. L'une d'elles frappa Tauricès qui ne put retenir son glaive et tomba sur le sol. La pointe lui avait transpercé le poignet.

«Emparez-vous de ce barbare! s'écria Marcellus, satisfait de pouvoir ramener vivant le chef thrace. Nous avons rempli notre mission et le gouverneur nous accordera les pièces d'or promises pour sa capture!»

Affaibli par sa longue fuite et par le sang qu'il perdait abondamment au poignet, Tauricès n'offrit qu'une faible résistance. Sentant ses dernières forces l'abandonner, il s'écroula sans connaissance sur le sol.

Lorsqu'il retrouva ses esprits, Tauricès constata qu'une intense activité régnait autour de lui. Il était étendu près d'un bâtiment de pierre qui donnait directement sur un quai. Devant lui, deux longs navires de guerre avaient jeté l'ancre, et des centurions en débarquaient. Tauricès essaya de se relever, mais les lourdes chaînes qui avaient été fixées à ses jambes et à ses bras l'en empêchèrent.

«Voici le barbare thrace dont je te parlais, Cassius», dit un soldat que Tauricès reconnut aussitôt.

Visiblement fier de sa prise, le décurion Marcellus narra avec force détails au capitaine de l'un des deux navires romains comment, avec les dix hommes de sa décurie, il avait capturé le Thrace.

«Et c'est un chef! ajouta-t-il. Son prix sera très élevé comme esclave.

—Sa stature est vraiment impressionnante, sans compter sa chevelure et sa longue barbe rousse. Il ferait un gladiateur de première qualité. Lentulus Baliatus serait ravi de posséder un tel gaillard. Il dirige le ludus de Capoue. Son école de gladiateurs jouit d'une grande renommée à Rome et je crois savoir qu'il se spécialise dans les combats de Thraces.

— Qu'ils en fassent ce qu'ils veulent! rétorqua le décurion. J'ai obtenu ma récompense et le gouverneur Marcus Livius Drusus te charge de le vendre en Italie... et au meilleur prix!»

Cassius fit quelques pas en direction de son navire et interpella deux centurions. Il les chargea d'emmener le Thrace et de l'attacher solidement sur le pont arrière. Le navire devait appareiller dans l'heure et quitter le port d'Abdère, sur la côte thrace de la mer Égée, afin d'atteindre avant la nuit le Pirée, grand port d'Athènes.

Tauricès ne pouvait fuir. Les deux centurions ne le quittaient pas d'une semelle, et ses lourdes chaînes gênaient ses mouvements. Après une nuit au Pirée, le birème, grand navire de guerre à deux rangées de rameurs, s'éloigna des côtes de la Grèce et navigua vers la pointe sud de l'Italie. «Navires à babord! cria l'un des centurions qui arpentait le pont de long en large en surveillant étroitement les rameurs.

—Des pirates illyriens! grogna Cassius, qui aperçut la voilure de quatre bateaux fonçant droit sur le birème. Augmentez la cadence des rameurs! Il faut leur échapper avant qu'ils n'aient atteint la bonne direction du vent.»

Le maître d'équipage accéléra le rythme des coups du marteau de bois qui marquait la cadence des rameurs. Profitant de la courte avance du birème sur les navires illyriens, Cassius manoeuvra son navire de manière à ce que l'éperon se retrouvât pointé contre le vent. Les longues rames battaient la mer avec vigueur et, bientôt, les vents contraires obligèrent les pirates à abandonner la poursuite.

«Nous avons échappé à ces vauriens! s'exclama Cassius, satisfait de l'efficacité de sa manoeuvre. Nous sommes déjà en vue des côtes. Je n'aurais pas aimé affronter seul ces pirates de malheur!

— Encore heureux que Neptune ne nous ait pas envoyé l'un de ses vents habituels! rétorqua le maître d'équipage. Les Illyriens nous auraient facilement rejoints.»

Après une escale de deux jours à Brundisium, le birème longea prudemment les côtes italiennes, puis traversa le détroit de Messine qui sépare la Sicile de la pointe de l'Italie. Remontant vers le nord-ouest, Cassius se dirigea sur Cumes, son port d'attache.

Tauricès profita des quelques jours de répit de ce premier voyage en mer pour reprendre des forces. Sa blessure au poignet guérissait normalement et les gardes s'étaient habitués à lui. Il avait décidé de ne rien tenter pour s'évader. Il abordait une contrée étrangère et, pour le moment, jugeait plus sage de se plier à la volonté de ses nouveaux maîtres afin de gagner leur confiance. «En attendant, se disait-il, j'accumulerai les informations nécessaires afin de préparer mon évasion.»

CHAPITRE 2

Le soleil plombait durement et la chaleur de l'après-midi transformait les exercices quotidiens de Tauricès en une véritable torture.

«Si Baliatus continue à ce rythme, lança Burébista, le compagnon gète de Tauricès, la poitrine couverte de sueur et de poussière, il va nous faire crever avant même que nous n'entrions dans l'arène!»

Tauricès s'arrêta un moment. Il rabaissa son glaive et déposa à ses pieds le bouclier rond qu'il tenait de la main gauche.

«Allons nous désaltérer», fit-il en se dirigeant vers les amphores remplies d'eau qui étaient alignées contre le mur intérieur de l'enceinte du ludus.

Dès son arrivée à Cumes, Lentulus Baliatus avait acheté Tauricès à prix d'or. Son école de gladiateurs était surtout composée de Thraces et de Gètes, arrivés au pays selon les hasards de la guerre et des razzias effectuées par les troupes de Rome. Après un entraînement de cinq à six mois, Baliatus offrait ses vigoureux et impressionnants gladiateurs en spectacle à une populace urbaine de plus en plus friande de sensations fortes et de sang.

«Encore une semaine et nous en aurons fini de cette vie infecte! déclara Burébista.

— Baliatus voudrait m'envoyer à Rome après l'entraînement, fit

Tauricès. Il affirme pouvoir tirer de moi de meilleurs revenus dans la capitale.

— Bah! Peu importe où l'on se bat! Je préfère être gladiateur que peiner comme esclave et mourir à petit feu comme ceux des miens qui travaillent à la construction des aqueducs.

— Cessez ce bavardage et reprenez vos exercices!» cria une voix derrière eux.

Lentulus Baliatus terminait sa visite quotidienne et n'appréciait guère que ses futurs gladiateurs perdent leur temps. Trapu et presque chauve, cet homme détesté les critiquait tous sans arrêt de sa voix nasillarde, et chacun courbait l'échine devant lui. Son immense fortune lui avait attiré la considération des patriciens de la ville. À leurs yeux, il n'était qu'un vulgaire parvenu mais, à cette époque, l'argent sonnant valait bien davantage que les anciens titres de noblesse.

«Approche, Tauricès! lança, quelques minutes plus tard, l'un des gladiateurs chevronnés qui servait de maître aux futurs candidats de l'arène. Baliatus veut te voir!»

Tauricès enleva son casque de fer et, le tenant sur sa poitrine, traversa la cour jusqu'au bâtiment où logeaient les gladiateurs et leurs élèves.

«Te voilà enfin! s'exclama un Baliatus souriant. Tu as fait de grands progrès, ces derniers temps. Je suis fier de toi, Tauricès.»

Ce dernier ne répondit pas. L'attitude amicale de Baliatus lui paraissait suspecte. Il craignit un instant que le propriétaire du ludus ne lui annonce son départ prématuré pour Rome.

«Tu es un homme de parole, commença Baliatus, et tu as du coeur au ventre. Tu n'as pas essayé de t'échapper comme le font presque tous les nouveaux. Je crois que je peux te faire confiance.»

Baliatus se leva et invita Tauricès à le suivre. Ils se dirigèrent vers la porte de fer qui donnait sur la rue.

«Tu vois cette porte? dit-il. Tu vas la franchir avec moi ce soir. Titius Julius, un des riches commerçants de la ville, donne un banquet en l'honneur de sa fille Livia. Une très belle femme! Elle vient d'avoir quinze ans et il m'a demandé de lui présenter une attraction de choix: un guerrier thrace, vêtu de son équipement. Qu'en penses-tu? C'est une idée extraordinaire! Tu vas faire fureur!

— Et contre qui devrai-je combattre, demanda Tauricès, qui baragouinait avec quelque difficulté la langue de son maître.

— Contre personne! Tu n'auras qu'à te montrer dans le triclinium où se déroulera le banquet et tous ces citadins ramollis en seront quittes pour la frousse de leur vie!»

Baliatus ricana nerveusement et Tauricès esquissa un sourire en imaginant la scène. Mais au fond de lui, une première lueur d'espoir s'allumait. Il était à Capoue depuis cinq mois déjà et sa patience commençait à porter fruit. Il n'avait jamais résisté, exécutant tout ce que l'on attendait de lui. Et voici que Baliatus lui faisait entrevoir pour la première fois la possibilité de s'évader. Il était sur la bonne voie...

*

Pour se rendre à la maison de Titius Julius, il fallait traverser le quartier des boutiques et des commerçants. Les rues regorgeaient de flâneurs et de curieux qui profitaient des dernières lueurs du jour. À la vue de Tauricès et du cortège qui l'accompagnait, les hommes et les femmes cédaient volontiers le passage. Baliatus était confortablement installé sur sa litière et porté par de jeunes esclaves. Il était rare de voir un Thrace d'aussi près et, une fois la surprise passée, les gens se massaient de chaque côté de la rue pour l'admirer. Pour s'amuser aux dépens des badauds, Tauricès lançait parfois quelques grognements qui, à travers la mince ouverture de son casque, semblaient terrifiants. Les gens reculaient d'un pas, laissant échapper des «Oh!» et des «Ah!», au grand plaisir de l'orgueilleux Baliatus.

Au-delà de la série de boutiques, la voie s'élargissait. La maison de Titius Julius s'élevait à deux pas des premiers palais patriciens. Baliatus descendit de sa litière et, précédé de Tauricès, franchit le portique de la maison de pierre du riche commerçant.

«Que les lares des Julius te couvrent de leur protection, Baliatus», déclara Titius Julius sur un ton solennel.

Le maître de la maison portait une longue toge d'un blanc grisâtre dont l'une des pointes venait se rabattre avec élégance sur son épaule gauche. C'était un homme mince aux cheveux blancs dont les gestes brusques dévoilaient une grande nervosité.

«J'ai beaucoup mieux que les âmes de tes ancêtres pour assurer ma protection, lança Baliatus en lui désignant Tauricès. Tes invités sont arrivés?

— Tout le monde est présent, répondit l'homme en portant un regard curieux sur le géant qui se dressait devant lui. Je ne pensais pas qu'un Thrace était aussi imposant!

— Nous le ferons entrer dans le triclinium lorsque tes invités auront vidé quelques coupes de vin. L'effet sera terrible!

— Tu es vraiment certain qu'il n'est pas dangereux? demanda Titius Julius, l'air soucieux. Je ne désire surtout pas mettre la vie de ma fille en péril!

— Par tous les dieux de la ville, tu peux me faire confiance! Tauricès est docile et je crois qu'il apprécie notre... hospitalité.

— Je vais le faire conduire aux cuisines. On lui servira à boire et à manger et, le moment venu, nous irons le chercher.»

*

La pièce qui servait de cuisine était peu spacieuse. Il y régnait une forte odeur de poisson grillé qui saisit Tauricès à la gorge. Des esclaves entraient et sortaient sans arrêt, transportant de grands plateaux de hors-d'oeuvre aux oeufs, des viandes froides et des pains auprès des invités.

Tauricès mangea avec appétit. Pour la première fois depuis sa capture, il mangeait à sa faim. La nourriture était abondante et variée. La vie ici n'avait rien de commun avec les conditions spartiates du ludus. Alors qu'il se versait une coupe de vin, il aperçut une forme humaine dans la pénombre du couloir menant à la cuisine. Tauricès déposa sa coupe sur la table et scruta plus attentivement la pénombre. Il se rendit compte qu'il s'agissait d'une jeune femme qui, immobile, l'observait avec curiosité. Elle était au fait de l'attraction spéciale que Titius Julius réservait à ses invités et n'avait pu résister à l'envie de venir voir discrètement le gladiateur thrace. Tauricès se leva pour s'approcher de la porte, mais la jeune femme s'esquiva.

CHAPITRE 3

«Tout ce que nous réclamons du sénat de Rome, c'est le droit de citoyenneté pour toutes les villes du sud de l'Italie!

— Il ne faut pas compter sur l'appui du consul de Rome pour y parvenir. Marius est trop lié au parti populaire, et le sénat romain est divisé sur la question.

— L'affrontement semble inévitable. Les commerçants de la ville en ont assez de l'attitude hautaine des Romains!

— Messieurs... Messieurs... protesta Titius Julius. Cessez vos discussions politiques! La soirée est consacrée à Livia... et non à nos problèmes avec Rome.

— Que l'on apporte du vin! Nos coupes sont vides!

— Et ta surprise, Titius?»

La salle du banquet était devenue très animée. Le dernier service du repas tirait à sa fin. Le teint des couples invités par Titius Julius, étendus sur leurs lits de table, était de plus en plus coloré par les vapeurs enivrantes du vin. Livia occupait une place sur un lit de table auprès de sa mère. Ses cheveux, d'un noir d'ébène, étaient rassemblés en chignon et quelques mèches retombaient mollement sur sa nuque découverte. Une longue tunique blanche recouvrait son corps frêle, paré de colliers et de bracelets offerts par les invités.

«Mes amis, déclara Titius Julius, debout au centre du triclinium, je réclame votre attention.»

En entendant les paroles du maître de la maison, les invités baissèrent le ton et, petit à petit, les conversations cessèrent.

«Je vous ai promis une attraction toute spéciale pour souligner l'anniversaire de ma fille Livia. Voici venu le moment de vous dévoiler ma surprise!»

Tous se mirent à applaudir et, pivotant sur lui-même, Titius Julius fit un geste de la main. Une ombre approcha, qui sortait de l'atrium. Les invités, piqués d'une vive curiosité, avaient les yeux rivés sur elle. D'un pas mesuré, Tauricès pénétra enfin dans le triclinium. À la vue du gladiateur, casqué et glaive en main, certains invités poussèrent un long cri d'effroi. D'autres se dressèrent sur leurs lits de table, épouvantés par l'apparition du barbare.

«Un Thrace! hurla la femme du marchand de fruits. Il va s'emparer de mes bijoux...

— Tu veux notre mort à tous, Titius! s'écria un autre, au bord de la panique.

— Ce barbare est magnifique, lança Livia, au milieu des commentaires apeurés des invités de son père. Je désire voir son visage!»

Une fois dissipé l'effet de choc, Titius Julius revint au centre de la pièce.

«Vous avez devant vous le plus parfait spécimen de nos Thraces combattant dans les arènes, dit-il fièrement. Mon ami Lentulus a daigné vous en présenter un, en chair et en os. Vous n'en verrez pas souvent d'aussi près!

— Demande-lui de retirer son casque, père», supplia à nouveau la jeune Livia, émerveillée par la stature de Tauricès.

Alors que les hommes et les femmes, remis de leurs émotions, s'approchaient de Tauricès pour le toucher et admirer ses armes, ce dernier retira son casque. Le visage impassible, Tauricès fixait la jeune Livia dont le regard, brillant d'admiration, n'avait pas échappé à son attention. Jamais il n'avait rencontré femme aussi belle et aussi délicate. Son coeur battait à se rompre; le gladiateur était charmé par les gestes lents et gracieux de celle qui palpait maintenant la texture de sa barbe.

«Je le veux, père! implora alors la jeune femme. Tu m'as promis le présent de mon choix. Eh bien! Le voici! Je le veux comme esclave personnel. Il sera mon garde du corps et mon protecteur...»

Titius Julius fut pris au dépourvu. Il n'avait pas prévu une telle requête de la part de sa fille, et, pendant un bref instant, les mots se bloquèrent dans sa gorge.

«Désir de femme, désir des dieux! s'exclama Lentulus Baliatus, se réjouissant déjà de la bonne affaire qu'il allait conclure. Je te le laisse au double du prix qu'il m'a coûté. Qu'en penses-tu?

— Le prix m'importe peu, répondit Titius Julius l'air soucieux. Il s'agit de ma fille!»

*

La villa de campagne de Titius Julius s'élevait sur une petite colline semi-boisée, à environ une heure de char de la ville de Capoue. Livia y passait ses étés avec sa mère Juliana et quelques serviteurs de confiance. Tauricès les y accompagnait. Depuis son entrée au service de la maison des Julius, sa vie avait été complètement transformée. Il n'était plus soumis aux rudes travaux du ludus de Lentulus Baliatus et il passait de longues heures en compagnie de Livia. Titius Julius avait finalement accepté l'idée d'un garde du corps pour sa fille, et Tauricès jouait le jeu avec beaucoup de bonne volonté. Il avait aimé la jeune femme dès le premier moment où elle lui était apparue telle une ombre, et tout son être vibrait à la pensée de se retrouver chaque jour auprès d'elle. Peu à peu, il en oubliait son sort d'esclave, refoulant les souvenirs de son pays qui venaient parfois troubler son sommeil.

«Je suis heureuse avec toi, dit-elle, un jour qu'ils se promenaient sur le sentier longeant la forêt. Nous pourrions être amants, tu sais...

— Je suis Thrace! rétorqua Tauricès, se sentant pris au piège. Tu es une femme libre et moi... les Romains m'ont capturé et ont fait de moi une «chose» que l'on achète et que l'on vend! Tu n'as pas le droit de jouer avec mes sentiments!...»

Tauricès se détourna et laissa errer son regard dans la campagne.

«Je ne pourrai tolérer bien longtemps cette situation, murmura-t-il à voix basse, les dents serrées.

— Ne sois pas si amer, Tauricès», reprit Livia. Elle s'approcha de lui et, avec tendresse, posa une main sur son bras. «Tu sais que je n'ai jamais aimé personne d'autre que toi. Tu es si différent de ces Italiens agités qui n'ont d'autre ambition que d'amasser le plus de trésors possible.

— Tu ne peux accorder ton amour à un homme privé de sa liberté. C'est absurde!

— Je vais réclamer de mon père qu'il t'affranchisse.

— Il n'acceptera jamais que sa fille soit éprise d'un Thrace, même libre.

— Alors... enlève-moi, comme les Romains ont enlevé les Sabines!»

Livia avait laissé tomber ces dernières paroles en badinant, mais, quelques heures plus tard, alors qu'elle déambulait dans le jardin fleuri de la villa, elle reconsidéra cette idée et la trouva de plus en plus séduisante. Il lui fallait convaincre Tauricès de fuir avec elle...

La nuit venue, la jeune fille attendit longtemps avant de quitter sa chambre. Avec précaution, elle traversa le couloir conduisant aux appartements des esclaves. Elle poussa silencieusement la porte de la chambre de Tauricès et s'approcha sans bruit de la paillasse où il dormait. Elle releva le bas de sa tunique et s'agenouilla auprès de lui.

«Tauricès... Tauricès, murmura-t-elle, tout en le secouant doucement.

— Qu'est-ce que c'est?» demanda-t-il. Tiré brusquement de son sommeil, il se releva et, constatant la présence de Livia, ajouta d'une voix inquiète: «Si l'on te découvre ici, je suis bon pour les galères...

— N'aie crainte! Personne ne m'a vue.

— Pourquoi as-tu fait cela?

— Je ne pouvais attendre à demain, répondit-elle. Je veux vivre avec toi. La seule possibilité qu'il nous reste, c'est de fuir ce pays. Partons ensemble! Emmène-moi loin d'ici...

— Jamais nous ne pourrons échapper aux Romains, déclara Tauricès, surpris par la proposition de Livia. Ils sont partout. Ton père nous fera rechercher et ils finiront par nous retrouver.

— Même en Thrace?»

Tauricès ne répondit pas. Le retour dans son pays constituerait déjà un long et périlleux voyage s'il l'accomplissait seul. Accompagné de Livia, les obstacles lui seraient quasi infranchissables.

«Tu sais que mon père fait le commerce du vin, expliqua-t-elle. Alors, écoute mon plan! Si nous trouvons des chevaux, nous pourrons atteindre le port de Brundisium en deux ou trois jours. Je connais là-bas un marchand qui fait des affaires avec les villes grecques. C'est un vieil ami de la famille et il ne pourra refuser de nous prendre avec lui sur un de ses navires...

— Les Romains occupent la Grèce. Leur échapper ne sera pas une mince affaire...

— Peu importe, Tauricès, ajouta Livia dont l'enthousiasme redoublait au fur et à mesure que les obstacles s'accumulaient. Nous porterons un déguisement!

— Donne-moi le temps de réfléchir. Ta suggestion pour Brundisium est excellente. Cependant, la suite du voyage m'inquiète. Il doit y avoir un moyen d'éviter les villes grecques...»

CHAPITRE 4

«Non! Non! Non!... protesta Domitius. Ton père ne m'a envoyé aucun message et je ne courrai certainement pas le risque de mettre ta vie en péril pour un caprice de jeune femme!»

Le commerçant avait peine à accepter l'histoire que lui avait contée Livia. Il était prêt à croire que Tauricès était son tuteur mais, de là à accepter que Titius Julius ait envoyé sa fille en «voyage d'études» à l'étranger, c'était trop!

«De toute façon, ajouta-t-il pour clore la discussion, mon navire quitte Brundisium demain à l'aube, et si le messager de ton père ne se pointe pas d'ici là, je partirai sans toi.»

La mort dans l'âme, Livia et Tauricès s'éloignèrent des quais. Pour éviter les soldats qui patrouillaient dans la ville, ils se réfugièrent dans l'une des tavernes du port. Tauricès sentait monter en lui un sentiment d'impuissance qui commençait à lui faire regretter son geste. Lui et Livia avaient, pendant des journées entières, imaginé tous les scénarios possibles, mais ils n'avaient pas cru un seul instant que le commerçant allait se montrer si réticent. Assis à une table, entourés de marins turbulents et criards, Tauricès et Livia avalèrent une petite collation de pain et de fruits. Personne ne portait attention à eux. Ils étaient vêtus de simples tuniques, semblables à celles de quelconques citadins. Tauricès ne disait mot. Son accent thrace était trop évident et une maladresse de sa part aurait pu éveiller les soupçons.

«Il me reste une pièce d'or, Tauricès, murmura Livia, les yeux noirs pétillant de joie. Avec cette pièce, ajouta-t-elle, je te garantis que nous serons du voyage et que Domitius va s'incliner!»

*

Le navire voguait depuis plusieurs heures, et les vagues martelaient la coque de leurs coups réguliers et monotones. Tauricès et Livia, cachés dans la cale, dormaient paisiblement, blottis l'un contre l'autre. Le marin de Domitius ne s'était pas fait prier. Il avait regardé la pièce d'or et, sans discuter, avait conduit, la nuit tombée, les deux fugitifs à l'avant de la cale. Des sacs de poissons séchés s'étaient avérés être une cachette adéquate. Malgré l'odeur désagréable, Livia finit par s'endormir, heureuse d'avoir trouvé le moyen de quitter enfin Brundisium et l'Italie. Tauricès tenait la jeune femme enlacée. Sa tête menue était posée sur sa poitrine. Ému, il laissait monter en lui les images réconfortantes de son pays: les montagnes et les collines omniprésentes, les boisés d'érables et de bouleaux, les prairies qu'il parcourait à cheval, sa forteresse qu'il imaginait toute proche...

«Navires à bâbord!» cria l'un des marins sur le pont avant.

Tauricès sursauta et, repoussant les sacs de poissons séchés, se leva d'un bond.

«Livia, dit-il nerveusement, je crois que des navires romains approchent.

— J'aperçois deux voiles, lança un second marin, dont les pas résonnaient lourdement sur le pont.

— Personne n'a signalé la présence de pirates dans les environs, répliqua Domitius. Ce sont les nôtres qui...

— Pas avec ces couleurs dans la voile, hurla le premier marin. Par Neptune, ce sont des Illyriens!

—Branle-bas de combat, ordonna aussitôt Domitius. Que l'on distribue les armes et que chacun prenne son poste! Je n'ai pas l'intention de laisser ma cargaison à ces vauriens!»

Tauricès avait suivi la situation avec beaucoup d'attention. Lorsqu'il comprit que la route de sa liberté était menacée par des pirates, il sortit son glaive de ses bagages.

«Ne bouge pas d'ici! lança-t-il à Livia. Je dois monter sur le pont.»

Lorsque Domitius aperçut Tauricès émergeant, armé, de la cale, il ne put retenir un cri d'effroi. Puis il se reprit et lui dit: «Nous avons été vendus! Les pirates sont à bord!

— Je suis Thrace, rétorqua Tauricès, et je n'ai pas l'intention de tomber entre leurs mains. Pas plus que vous! Je suis venu combattre à tes côtés, commerçant...

— ... Livia est dans la cale...?

— Nous n'avions pas d'autre choix. Il nous fallait quitter Brundisium sans délai...

— Vous êtes donc en fuite...!

— Peu importe, Domitius. Les pirates sont plus dangereux que nous. Ordonne à tes hommes d'allumer des torches. Je vais tenter de repousser l'ennemi avec des flèches enflammées. Ils n'oseront pas en faire autant, car ils souhaitent s'emparer de ta cargaison intacte...

— Faites ce que le Thrace vous demande, hurla Domitius. C'est peut-être notre seule chance.

— Les deux navires vont essayer de nous prendre en souricière, puis de se lancer à l'abordage. Laisse-les s'approcher. C'est à ce moment-là que je vais mettre le feu à leurs voiles. Toi, tu profiteras de la confusion pour filer entre les deux bateaux. En attendant, jette à la mer tout ce qui peut alléger notre navire!»

Les grandes voiles carrées des navires pirates se rapprochaient rapidement. Le vent soufflait avec vigueur et les poussait allègrement vers le navire marchand. Celui-ci semblait une proie facile pour les pirates qui ne s'attendaient qu'à une faible résistance. Ainsi que Tauricès l'avait prévu, l'un des navires manoeuvra habilement vers la droite et glissa à tribord du bateau de Domitius. Lentement, l'étau se refermait. Tauricès avait placé les quelques marins de l'équipage de chaque côté du pont. Ils avaient comme instruction de tirer leurs flèches enflammées au tout dernier moment, avant l'abordage.

«Nos chances de nous sortir de ce guêpier sont minces, avoua Tauricès à un Domitius terrorisé. Mais nous avons une chance...

— Que Mars t'entende», gémit celui-ci en voyant les navires arriver à la hauteur de la proue.

Les pirates étaient beaucoup plus nombreux que la dizaine de marins de Domitius. Tauricès les aperçut, grappins en main, prêts à l'abordage. Leurs cris rauques n'inspiraient guère confiance et Domitius se voyait déjà prisonnier de ces rustres.

«Tenez-vous prêts, ordonna Tauricès. À mon signal...»

Il ne continua pas. Sur le pont du navire illyrien qui se trouvait à bâbord, Tauricès avait cru reconnaître la silhouette d'un Thrace. Il mit la main sur son front afin de protéger ses yeux des rayons du soleil et reconnut celui-ci.

«Cotyzo!... Cotyzo!» hurla-t-il à pleins poumons en grimpant sur le rebord du navire.

Pendant un court moment, la tension continua à monter. Le Thrace, surpris d'entendre son nom, imita le geste de Tauricès et s'agrippa aux câbles du mât.

«Tauricès! lança-t-il, au grand soulagement du commerçant qui avait suivi la scène. Rabaisse ta voile... je vais monter à bord... sans arme...»

Domitius ordonna à ses marins de tirer sur les câbles de la voile, puis d'amarrer solidement les grappins que lui lançaient les pirates. Livia, intriguée par l'évolution des événements, avait quitté la cale et suivait attentivement la manoeuvre d'accostage. Cotyzo enjamba le parapet et sauta sur le pont, atterrissant à quelques pas de Tauricès.

«Ainsi, te voilà pirate! s'exclama Tauricès en accueillant son vieil ami.

— Ces Illyriens m'ont recueilli en mer, raconta Cotyzo, il y a quelques années, alors qu'un navire de guerre m'emmenait à Rome comme prisonnier. Les Romains font aussi la guerre aux tribus gètes, tu sais!

— Tu ne souhaites pas retourner chez toi?

— Pas encore. J'adore la vie en mer et faire la chasse aux navires de commerce. C'est comme galoper après le sanglier!

— Je t'avoue que nous avions l'intention de faire la vie dure à nos assaillants! lança Tauricès en riant à gorge déployée.

— Est-ce que tu t'es engagé pour assurer la défense des commerçants romains? demanda Cotyzo, les sourcils froncés.

— Je ne suis pas un mercenaire, répondit Tauricès. Je suis plutôt en fuite. J'ai quitté Capoue avec Livia et j'ai l'intention de regagner mes terres...

— Elle est romaine?

— Qui?

— Ta protégée...

— Non! Elle est de Capoue et elle n'est pas ma protégée. Je vais l'épouser. Elle sera la mère de mes enfants...

— Heureux mélange! conclut le Gète en regardant aimablement Livia. Je te fais une proposition, Tauricès. Nous laissons filer ce navire marchand et tu nous accompagnes. Nos navires doivent rejoindre la côte pour la nuit. Par la suite, nous déciderons du meilleur trajet pour assurer ton retour au pays.»

Tauricès regarda Livia qui paraissait soulagée de l'invitation de Cotyzo. Après avoir fait leurs adieux au pauvre Domitius, remis de ses émotions mais soulagé de sa cargaison, ils embarquèrent à bord du rapide navire illyrien de Cotyzo. Voiles déployées, il fendit à nouveau la mer en direction de la côte plus hospitalière de l'Illyrie.

CHAPITRE 5

Les pirates habitaient une petite agglomération accrochée aux parois rocheuses qui dominaient la baie où mouillaient les navires. Tauricès et Livia avaient grimpé le long du sentier qui conduisait aux maisons, accompagnés de Cotyzo et de quelques Illyriens.

«Ma demeure n'est pas riche, expliqua le Gète à ses invités. Mais elle est confortable et sûre. Aucun Romain n'oserait s'aventurer jusqu'ici! L'endroit est imprenable...

— Que trouve-t-on au-delà? demanda Livia.

— D'abord des montagnes, puis une grande rivière. Les gens du pays m'ont raconté qu'elle descendait vers l'est jusqu'à la mer. Si mes déductions sont justes, il s'agit de la rivière qui traverse le territoire des Gètes.

— L'Ister? demanda Tauricès, surpris.

— Je n'en connais pas d'autre, répondit Cotyzo.

— En combien de jours de marche pourrions-nous l'atteindre?

— À travers les montagnes... environ huit à dix jours.

— Voilà la solution, Livia! s'écria Tauricès d'un ton enthousiaste. Si Cotyzo dit vrai, le fleuve nous conduira directement au nord du pays habité par les tribus odryses. Nous n'aurons plus qu'à traverser les montagnes de l'Hémus et...

— ... gentiment marcher jusqu'au paradis du grand cavalier! coupa Cotyzo, moqueur. Je m'occupe de ramasser les armes et les outils dont vous aurez besoin. Il te faudra, une fois arrivé sur l'Ister, construire une embarcation. Je vous fournirai le minimum de nourriture afin de ne pas alourdir votre fardeau. Le gibier est abondant dans les forêts et vous ne risquez pas de mourir de faim!»

*

Le trajet jusqu'à la grande rivière se déroula sans histoire. Cotyzo avait pris la précaution de faire accompagner ses amis par deux guides. Ils connaissaient bien la région et facilitèrent grandement les contacts avec les villageois des vallées traversées au cours de la première partie du voyage. Une fois la construction de l'embarcation terminée, Tauricès et Livia se séparèrent de leurs guides. L'été faisait place à l'automne. Au fil des jours, les forêts se teintaient des rouges et des jaunes les plus éclatants. Livia ne cessait de s'émerveiller. Capoue était loin derrière. Elle découvrait les vives émotions d'une existence simple et dégagée des contraintes absurdes de la ville et des convenances d'un monde sans âme. Grâce à Tauricès, la nature devenait une compagne qui n'imposait que son rythme et ses beautés.

Un soir qu'ils campaient tranquillement sur le bord de la grande rivière, un groupe de pêcheurs s'approcha d'eux. Tauricès les reçut amicalement et leur offrit de partager leur repas frugal. Celui-ci ne se composait que d'un lièvre. Les trois pêcheurs lui montrèrent en riant les nombreuses carpes qu'ils avaient pêchées pendant la journée.

«Voilà qui va améliorer notre menu, déclara Livia visiblement ravie de goûter aux poissons des visiteurs.

— Vous n'êtes pas pêcheurs..., constata le plus âgé des trois hommes. Vous venez du pays des Odryses?

— J'essaie plutôt d'y retourner, répondit Tauricès. Sommes-nous encore loin de la côte?

— À cinq jours de marche au moins. Mais je ne vous conseille pas de poursuivre votre route sur la grande rivière. Les tribus gètes sont très agitées depuis quelque temps. Descendez plutôt vers le sud et traversez les hautes montagnes.

— Je vous remercie de vos précieux conseils», fit Tauricès.

Les trois hommes passèrent le reste de la nuit près du feu. Lorsque les premières lueurs de l'aube se levèrent, ils avaient disparu. Près des cendres du feu, Livia découvrit un petit panier d'osier contenant des poissons. Je crois que je commence vraiment à aimer ce pays, pensa-t-elle, admirant autour d'elle la prairie qui s'étendait vers les montagnes au sud.

*

Plusieurs jours plus tard, après une interminable marche forcée, Tauricès et Livia débouchèrent des forêts denses de la montagne. Au-delà s'étendait une large plaine parsemée de nombreux villages. Vers la droite, Tauricès aperçut une construction imposante.

«Voilà un château! fit-il à Livia, en lui montrant de la main le bâtiment de pierre. Nous y trouverons sûrement refuge.

— En connais-tu le propriétaire? demanda Livia.

— Peut-être. Les chefs de clan du nord ont toujours fait la guerre ensemble.

— Et ton propre château?

— Il se trouve beaucoup plus loin, vers la côte.»

Sans plus attendre, ils empruntèrent le sentier qui coupait à travers champs jusqu'au château. Plus ils avançaient, plus Tauricès avait la sensation que le bâtiment de pierre était abandonné. Il n'apercevait personne aux environs, et la porte de bois était grande ouverte. Aucun bruit, sinon le piaffement de quelques chevaux qui traînaient dans la cour.

«Voilà des cavaliers qui ne reviendront jamais! murmura Tauricès en imaginant le sort des anciens maîtres du château.

— Est-ce que les habitants sont partis? demanda Livia qui ne comprenait pas exactement le sens des paroles de Tauricès.

— Voilà ce qui arrive lorsque la guerre tourne mal. Les cavaliers sont tués ou emmenés en exil et vendus comme esclaves. Jamais ils ne reviennent!

— Nous serons enfin à l'abri, ajouta Livia. Regarde, Tauricès, le toit principal du château a résisté aux intempéries. Nous pourrions demeurer ici quelque temps.»

Tauricès comprenait l'impatience de Livia et son désir d'en finir avec ce long périple, mais il devait accomplir une dernière mission avant de regagner sa demeure.

*

Pendant près de quatre jours, Tauricès et Livia galopèrent vers le sud-est. Guidant leurs chevaux à la lisière des villages, ils évitèrent tout contact qui aurait pu compromettre l'objectif de Tauricès.

«Nous voici enfin à destination, déclara-t-il. Je reconnais le pic rocheux en forme de tête de corbeau. Nous sommes tout près maintenant.

— Près de quoi? demanda Livia.

— Sois patiente! répondit-il calmement. Tu verras bientôt.»

Ils attachèrent la bride de leurs montures à un arbre, et Tauricès prit Livia par la main.

«C'est au-delà de la Tête du Corbeau», dit-il.

Il entraîna la jeune femme à l'intérieur du boisé. Livia était de plus en plus intriguée par le mystère qui entourait les paroles et les gestes de Tauricès. Non loin de là, en face d'eux, se dressait un énorme rocher. Tauricès s'en approcha lentement et s'agenouilla sur le sol. Il écarta le tas de feuilles et de terre amoncelé à la base du rocher, et Livia aperçut une fissure dans la pierre.

Tauricès glissa son bras à l'intérieur de la cavité et en sortit des armes: un casque et une armure de bronze. Puis, se penchant à nouveau, il retira un petit objet recouvert d'un tissu sale et déchiré. Tauricès se releva et pria Livia de s'approcher. Il découvrit délicatement le mystérieux objet et déclara d'une voix émue: «Ce pendentif d'or est le symbole de ma race. Cette vache représente mes lointains ancêtres, les premiers grands agriculteurs et métallurgistes du pays. Pendant des dizaines de générations, nous l'avons porté dans ma famille, gage sacré de l'éternité des Thraces.»

Tauricès leva bien haut l'objet, et un rayon de soleil le toucha, répandant ses feux sur le visage de la jeune femme. Saisissant la lanière de cuir, à laquelle était suspendu le pendentif, Tauricès l'attacha autour du cou de Livia.

«Il t'appartient à présent. Les âmes de milliers de Thraces l'habitent et sauront te guider dans ce nouveau pays qui est désormais le tien. Que la grande déesse Bendidaïn te protège!»

Sur ces dernières paroles, un coup de vent souffla à travers le boisé, comme si les voix éternelles des Issala, Sirial, Héra, Acamas, Kotys, Médocus et tant d'autres avaient voulu manifester leur présence et leur approbation...

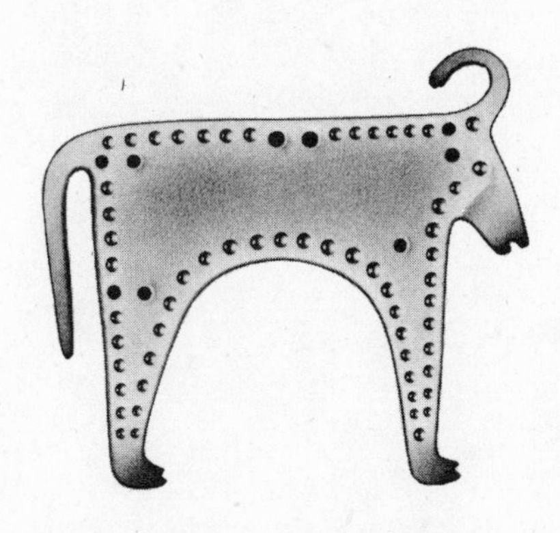

Table des matières

Ouvrages parus chez les éditeurs du groupe Sogides

* Pour l'Amérique du Nord seulement ** Pour l'Europe seulement
Sans * pour l'Europe et l'Amérique du Nord

ANIMAUX

* **Art du dressage, L',** Chartier Gilles
Bien nourrir son chat, D'Orangeville Christian
Cheval, Le, Leblanc Michel
Chien dans votre vie, Le, Margolis Matthew et Swan Marguerite
* **Éducation du chien de 0 à 6 mois, L',** DeBuyser Dr Colette et Dr Dehasse Joël
Encyclopédie des oiseaux, Godfrey W. Earl
Guide de l'oiseau de compagnie, Le, Dr R. Dean Axelson
Mammifères de mon pays, Duchesnay St-Denis J. et Dumais Rolland
* **Mon chat, le soigner, le guérir,** D'Orangeville Christian
Observations sur les mammifères, Provencher Paul
Papillons du Québec, Veilleux Christian et Prévost Bernard
Petite ferme, T.1, Les animaux, Trait Jean-Claude
Vous et vos poissons d'aquarium, Ganiel Sonia
Vous et votre berger allemand, Eylat Martin
Vous et votre boxer, Herriot Sylvain
Vous et votre caniche, Shira Sav
Vous et votre chat de gouttière, Gadi Sol
Vous et votre chow-chow, Pierre Boistel
Vous et votre collie, Ethier Léon
Vous et votre doberman, Denis Paula
Vous et votre fox-terrier, Eylat Martin
Vous et votre husky, Eylat Martin
Vous et vos oiseaux de compagnie, Huard-Viau Jacqueline
Vous et votre schnauzer, Eylat Martin
Vous et votre setter anglais, Eylat Martin
Vous et votre siamois, Eylat Odette
Vous et votre yorkshire, Larochelle Sandra

ARTISANAT/ARTS MÉNAGERS

Appareils électro-ménagers, Prentice-Hall of Canada
* **Art du pliage du papier,** Harbin Robert
Artisanat québécois, T.1, Simard Cyril
Artisanat québécois, T.2, Simard Cyril
Artisanat québécois, T.3, Simard Cyril
Artisanat québécois, T.4, Simard Cyril, Bouchard Jean-Louis
Bon Fignolage, Le, Arvisais Dolorès A.
Coffret artisanal, Simard Cyril
* **Construire des cabanes d'oiseaux,** Dion André
Construire sa maison en bois rustique, Mann D. et Skinulis R.
Crochet Jacquard, Le, Thérien Brigitte
Cuir, Le, Saint-Hilaire Louis et Vogt Walter
Dentelle, T. 1, La,De Seve Andrée-Anne
Dentelle, T.2, La, De Seve Andrée-Anne
Dessiner et aménager son terrain, Prentice-hall of Canada
Encyclopédie de la maison québécoise, Lessard Michel
Encyclopédie des antiquités, Lessard Michel
Entretien et réparation de la maison, Prentice-Hall of Canada
Guide du chauffage au bois, Flager Gordon
J'apprends à dessiner, Nassh Joanna
Je décore avec des fleurs, Bassili Mimi
J'isole mieux, Eakes Jon
Mécanique de mon auto, La, Time-Life Book
Outils manuels, Les, Prentice-Hall of Canada
Petits appareils électriques, Prentice-Hall of Canada
Piscines, barbecues et patio
Taxidermie, La, Labrie Jean
Terre cuite, Fortier Robert
Tissage, Le, Grisé-Allard Jeanne et Galarneau Germaine
Tout sur le macramé, Harvey Virginia L.
Trucs ménagers, Godin Lucille
Vitrail, Le, Bettinger Claude

ART CULINAIRE

À table avec soeur Angèle, Soeur Angèle
Art d'apprêter les restes, L', Lapointe Suzanne
Art de la cuisine chinoise, L', Chan Stella
Art de la table, L', Du Coffre Marguerite
Barbecue, Le, Dard Patrice
Bien manger à bon compte, Gauvin Jocelyne
Boîte à lunch, La, Lambert-Lagacé Louise
Brunches & petits déjeuners en fête, Bergeron Yolande
100 recettes de pain faciles à réaliser, Saint-Pierre Angéline
Cheddar, Le, Clubb Angela
Cocktails & punchs au vin, Poister John
Cocktails de Jacques Normand, Normand Jacques
Coffret la cuisine
Confitures, Les, Godard Misette
Congélation de A à Z, La, Hood Joan
Congélation des aliments, Lapointe Suzanne
Conserves, Les, Sansregret Berthe
Cornichons, Ketchups et Marinades, Chesman Andrea
Cuisine au wok, Solomon Charmaine
Cuisine chinoise, La, Gervais Lizette
* **Cuisine chinoise traditionnelle, La,** Chen Jean
* **Cuisine créative Campbell, La,** Cie Campbell
Cuisine de Pol Martin, Martin Pol
Cuisine facile aux micro-ondes, Saint-Amour Pauline
Cuisine joyeuse de soeur Angèle, La, Soeur Angèle
Cuisine micro-ondes, La, Benoit Jehane
Cuisine santé pour les aînés, Hunter Denyse
Cuisiner avec le four à convection, Benoît Jehane
Cuisinez selon le régime Scarsdale, Corlin Judith
Cuisinier chasseur, Le, Hugueney Gérard
Entrées chaudes et froides, Dard Patrice
Faire son pain soi-même, Murray Gill Janice
Faire son vin soi-même, Beaucage André
Fondues & flambées de maman Lapointe, Lapointe Suzanne
Fondues, Les, Dard Patrice
Muffins, Les, Clubb Angela
Nouvelle cuisine micro-ondes, La, Marchand Marie-Paul et Grenier Nicole
Nouvelle cuisine micro-ondes II, La, Marchand Marie-Paul, Grenier Nicole
Pâtes à toutes les sauces, Les, Lapointe Lucette
Pâtés et galantines, Dard Patrice
Pâtisserie, La, Bellot Maurice-Marie
Poissons et fruits de mer, Sansregret Berthe
Recettes au blender, Huot Juliette
Recettes canadiennes de Laura Secord, Canadian Home Economics Association
Recettes de gibier, Lapointe Suzanne
Recettes de maman Lapointe, Les, Lapointe Suzanne
Recettes Molson, Beaulieu Marcel
Robot culinaire, Le, Martin Pol
Salades des 4 saisons et leurs vinaigrettes, Dard Patrice
Salades, sandwichs, hors-d'oeuvre, Martin Pol

BIOGRAPHIES POPULAIRES

Daniel Johnson, T.1, Godin Pierre
Daniel Johnson, T. 2, Godin Pierre
Daniel Johnson — Coffret, Godin Pierre
Dans la fosse aux lions, Chrétien Jean
Duplessis, T. 1 — L'ascension, Black Conrad
Duplessis, T. 2 — Le pouvoir, Black Conrad
Duplessis — Coffret, Black Conrad
Dynastie des Bronfman, La, Newman Peter C.
Establishment canadien, L', Newman Peter C.
Maurice Richard, Pellerin Jean
Mulroney, Macdonald L.I.
Nouveaux Riches, Les, Newman Peter C.
Prince de l'Eglise, Le, Lachance Micheline.
Saga des Molson, La, Woods Shirley

DIÉTÉTIQUE

Contrôlez votre poids, Ostiguy Dr Jean-Paul
* **Cuisine sage,** Lambert-Lagacé Louise
Diététique dans la vie quotidienne, Lambert-Lagacé Louise
Livre des vitamines, Le, Mervyn Leonard
* **Maigrir en santé,** Hunter Denyse
* **Menu de santé,** Lambert-Lagacé Louise
Oubliez vos allergies, et... bon appétit, Association de l'information sur les allergies
Petite & grande cuisine végétarienne, Bédard Manon
* **Plan d'attaque Weight Watchers,Le,** Nidetch Jean
Plan d'attaque plus Weight Watchers, Le, Nidetch Jean
Recettes pour aider à maigrir, Ostiguy Dr Jean-Paul
* **Régimes pour maigrir,** Beaudoin Marie-Josée
Sage Bouffe de 2 à 6 ans, La, Lambert-Lagacé Louise
Weight Watchers — cuisine rapide et savoureuse, Weight Watchers
Weight Watchers-Agenda 85 — Français, Weight Watchers
Weight Watchers-Agenda 85 — Anglais, Weight Watchers

DIVERS

* **Acheter ou vendre sa maison,** Brisebois Lucille
* **Acheter et vendre sa maison ou son condominium,** Brisebois Lucille
* **Bourse, La,** Brown Mark
* **Chaînes stéréophoniques, Les,** Poirier Gilles
* **Choix de carrières, T.1,** Milot Guy
* **Choix de carrières, T.2,** Milot Guy
* **Choix de carrières, T.3,** Milot Guy
* **Comment rédiger son curriculum vitae,** Brazeau Julie

Conseils aux inventeurs, Robic Raymond
* **Dictionnaire économique et financier,** Lafond Eugène
* **Faire son testament soi-même,** Me Poirier Gérald, Lescault Nadeau Martine (notaire)
* **Faites fructifier votre argent,** Zimmer Henri B.

Finances, Les, Hutzler Laurie H.
* **Gestionnaire, Le,** Colwell Marian
* **Guide de la haute-fidélité, Le,** Prin Michel
* **Je cherche un emploi,** Brazeau Julie

Leadership, Le, Cribbin, James J.
Livre de l'étiquette, Le, Du Coffre Marguerite
Meeting, Le, Holland Gary
Mémo, Le, Reimold Cheryl
Patron, Le, Reimold Cheryl
Relations publiques, Les, Doin Richard, Lamarre Daniel
* **Règles d'or de la vente, Les,** Kahn George N.
* **Roulez sans vous faire rouler, T.3,** Edmonston Philippe

Savoir vivre aujourd'hui, Fortin Jacques Marcelle
Séjour dans les auberges du Québec, Cazelais Normand, Coulon Jacques
Stratégies de placements, Nadeau Nicole
Temps des fêtes au Québec, Le, Montpetit Raymond
Tenir maison, Gaudet-Smet Françoise
* **Tout ce que vous devez savoir sur le condominium,** Dubois Robert

Univers de l'astronomie, L', Tocquet Robert
Vente, La, Hopkins Tom
* **Votre Argent,** Dubois Robert

Votre système vidéo, Boisvert Michel. Lafrance André A.
* **Week-end à New York,** Tavernier-Cartier Lise

ENFANCE

* **Aider son enfant en maternelle,** Pedneault-Pontbriand Louise
* **Aider votre enfant à lire et à écrire,** Doyon-Richard Louise

Alimentation futures mamans, Gougeon Réjeanne et Sekely Trude
Années clés de mon enfant, Les, Caplan Frank et Theresa
Art de l'allaitement maternel, L', Ligue internationale La Leche
* **Autorité des parents dans la famille,** Rosemond John K.

Avoir des enfants après 35 ans, Robert Isabelle
Comment amuser nos enfants, Stanké Louis
* **Comment nourrir son enfant,** Lambert-Lagacé Louise

Deuxième année de mon enfant, La, Caplan Frank et Theresa
* **Développement psychomoteur du bébé,** Calvet Didier

Douze premiers mois de mon enfant, Les, Caplan Frank
* **En attendant notre enfant,** Pratte-Marchessault Yvette
* **Encyclopédie de la santé de l'enfant,** Feinbloom Richard 1.

Enfant stressé, L', Elkind David
Enfant unique, L', Peck Ellen
Évoluer avec ses enfants, Gagné Pierre Paul
Femme enceinte, La, Bradley Robert A.
Fille ou garçon, Langendoen Sally, Proctor William
* **Frères-soeurs,** Mcdermott Dr John F. Jr.

Futur père, Pratte-Marchessault Yvette
* **Jouons avec les lettres,** Doyon-Richard Louise
* **Langage de votre enfant, Le,** Langevin Claude

Maman et son nouveau-né, La, Sekely Trude
Manuel Johnson et Johnson des premiers soins. Le, Dr Rosenberg Stephen N.
* **Massage des bébés, Le,** Auckette Amélia D.

Merveilleuse histoire de la naissance, La, Gendron Dr Lionel
Mon enfant naîtra-t-il en bonne santé? Scher Jonathan, Dix Carol
Pour bébé, le sein ou le biberon? Pratte-Marchessault Yvette
Pour vous future maman, Sekely Trude
Préparez votre enfant à l'école, Doyon-Richard Louise
* **Psychologie de l'enfant,** Cholette-Pérusse Françoise
* **Respirations et positions d'accouchement,** Dussault Joanne

Soins de la première année de bébé, Kelly Paula
* **Tout se joue avant la maternelle,** Ibuka Masaru

Un enfant naît dans la chambre de naissance, Fortin Nolin Louise
Viens jouer, Villeneuve Michel José
Vivez sereinement votre maternité, Vellay Dr Pierre
Vivre une grossesse sans risque, Fried, Dr Peter A.

ÉSOTÉRISME

Coffret — Passé — Présent — Avenir
Graphologie, La, Santoy Claude
Hypnotisme, L', Manolesco Jean
Lire dans les lignes de la main, Morin Michel
Prévisions astrologiques 1985, Hirsig Huguette
Vos rêves sont des miroirs, Cayla Henri
* **Votre avenir par les cartes,** Stanké Louis

HISTOIRE

Arrivants, Les, Collectif
* **Civilisation chinoise, La,** Guay Michel

INFORMATIQUE

* **Découvrir son ordinateur personnel,** Faguy Francois
Guide d'achat des micro-ordinateurs. Le Blanc Pierre
Informatique, L', Cone E.Paul

JARDINAGE

Culture des fleurs, des fruits, Prentice-Hall of Canada
Encyclopédie du jardinier, Perron W.H.
Guide complet du jardinage, Wilson Charles
Petite ferme, T. 2 — Jardin potager, Trait Jean-Claude
Plantes d'intérieur, Les, Pouliot Paul
Techniques du jardinage, Les, Pouliot Paul
* **Terrariums, Les,** Kayatta Ken

JEUX/DIVERTISSEMENTS

Améliorons notre bridge, Durand Charles
* **Bridge, Le,** Beaulieu Viviane
Clés du scrabble, Les, Sigal Pierre A.
Collectionner les timbres, Taschereau Yves
* **Dictionnaire des mots croisés, noms communs,** Lasnier Paul
* **Dictionnaire des mots croisés, noms propres,** Piquette Robert
* **Dictionnaire raisonné des mots croisés,** Charron Jacqueline
Finales aux échecs, Les, Santoy Claude
Jeux de société, Stanké Louis
* **Jouons ensemble,** Provost Pierre
* **Ouverture aux échecs,** Coudari Camille
Scrabble, Le, Gallez Daniel
Techniques du billard, Morin Pierre

LINGUISTIQUE

Améliorez votre français, Laurin Jacques
* **Anglais par la méthode choc, L',** Morgan Jean-Louis
Corrigeons nos anglicismes, Laurin Jacques
* **J'apprends l'anglais,** Silicani Gino
Petit dictionnaire du joual, Turenne Auguste
Secrétaire bilingue, La, Lebel Wilfrid
Verbes, Les, Laurin Jacques

LIVRES PRATIQUES

Bonnes idées de maman Lapointe, Les, Lapointe Lucette
Chasse-taches, Le, Cassimatis Jack
* **Maîtriser son doigté sur un clavier,** Lemire Jean-Paul
Temps c'est de l'argent, Le, Davenport Rita

MUSIQUE ET CINÉMA

* **Guitare, La,** Collins Peter
Wolfgang Amadeus Mozart raconté en 50 chefs-d'oeuvre, Roussel Paul

NOTRE TRADITION

Coffret notre tradition
Écoles de rang au Québec, Les Dorion Jacques
Encyclopédie du Québec, T. 1, Landry Louis
Encyclopédie du Québec, T. 2, Landry Louis
Histoire de la chanson québécoise, L'Herbier Benoît
Maison traditionnelle, La, Lessard Micheline
Moulins à eau de la vallée du Saint-Laurent, Adam Villeneuve
Objets familiers de nos ancêtres, Genet Nicole
Vive la compagnie, Daigneault Pierre

PHOTOGRAPHIE (ÉQUIPEMENT ET TECHNIQUE)

* **Apprenez la photographie avec Antoine Desilets,** Desilets Antoine
Chasse photographique, Coiteux Louis
8/Super 8/16, Lafrance André
Initiation à la Photographie, London Barbara
Initiation à la Photographie-Canon, London Barbara
Initiation à la Photographie-Minolta, London Barbara
Initiation à la Photographie-Nikon, London Barbara
Initiation à la Photographie-Olympus, London Barbara
Initiation à la Photographie-Pentax, London Barbara
* **Je développe mes photos,** Desilets Antoine
* **Je prends des photos,** Desilets Antoine
* **Photo à la portée de tous,** Desilets Antoine
Photo guide, Desilets Antoine

PSYCHOLOGIE

Âge démasqué, L', De Ravinel Hubert
* **Aider mon patron à m'aider,** Houde Eugène
* **Amour de l'exigence à la préférence,** Auger Lucien
Au-delà de l'intelligence humaine, Pouliot Élise
Auto-développement, L', Garneau Jean
Bonheur au travail, Le, Houde Eugène
Bonheur possible, Le, Blondin Robert
Chimie de l'amour, La, Liebowitz Michael
Coeur à l'ouvrage, Le, Lefebvre Gérald
Coffret psychologie moderne
Colère, La, Tavris Carol
* **Comment animer un groupe,** Office Catéchèse
* **Comment avoir des enfants heureux,** Azerrad Jacob
* **Comment déborder d'énergie,** Simard Jean-Paul
Comment vaincre la gêne, Catta Rene-Salvator
* **Communication dans le couple, La,** Granger Luc
* **Communication et épanouissement personnel,** Auger Lucien
Comprendre la névrose et aider les névro—sés, Ellis Albert
* **Contact,** Zunin Nathalie
* **Courage de vivre, Le,** Kiev Docteur A.
Courage et discipline au travail, Houde Eugène
Dynamique des groupes, Aubry J.-M. et Saint-Arnaud Y.
Élever des enfants sans perdre la boule, Auger Lucien
* **Émotivité et efficacité au travail,** Houde Eugène
Enfant paraît... et le couple demeure, L', Dorman Marsha et Klein Diane
Enfants de l'autre, Les, Paris Erna
* **Être soi-même,** Corkille Briggs, D.
* **Facteur chance, Le,** Gunther Max
* **Fantasmes créateurs, Les,** Singer Jérôme
Infidélité, L', Leigh Wendy
Intuition, L', Goldberg Philip
* **J'aime,** Saint-Arnaud Yves
Journal intime intensif, Progoff Ira
Miracle de l'amour, Un, Kaufman Barry Neil
* **Mise en forme psychologique,** Corrière Richard
* **Parle-moi... J'ai des choses à te dire,** Salome Jacques
Penser heureux, Auger Lucien
* **Personne humaine, La,** Saint-Arnaud Yves
* **Première impression, La,** Kleinke Chris, L.
Prévenir et surmonter la déprime, Auger Lucien
* **Prévoir les belles années de la retraite,** D. Gordon Michael
* **Psychologie dans la vie quotidienne,** Blank Dr Léonard
* **Psychologie de l'amour romantique,** Braden Docteur N.
* **Qui es-tu grand-mère? Et toi grand-père?,** Eylat Odette
* **S'affirmer et communiquer,** Beaudry Madeleine
* **S'aider soi-même,** Auger Lucien
* **S'aider soi-même davantage,** Auger Lucien
* **S'aimer pour la vie,** Wanderer Dr Zev
* **Savoir organiser, savoir décider,** Lefebvre Gérald
* **Savoir relaxer et combattre le stress,** Jacobson Dr Edmund
* **Se changer,** Mahoney Michael
* **Se comprendre soi-même par des tests,** Collectif
* **Se concentrer pour être heureux,** Simard Jean-Paul
Se connaître soi-même, Artaud Gérard
* **Se contrôler par le biofeedback,** Ligonde Paultre
* **Se créer par la Gestalt,** Zinker Joseph
* **S'entraider,** Limoges Jacques

* **Se guérir de la sottise,** Auger Lucien
Séparation du couple, La, Weiss Robert S.
Sexualité au bureau, La, Horn Patrice
Syndrome prémenstruel, Le, Dr Shreeve Caroline
* **Vaincre ses peurs,** Auger Lucien
Vivre à deux: plaisir ou cauchemar, Duval Jean-Marie
* **Vivre avec sa tête ou avec son coeur,** Auger Lucien
Vivre c'est vendre, Chaput Jean-Marc
* **Vivre jeune,** Waldo Myra
* **Vouloir c'est pouvoir,** Hull Raymond

ROMANS/ESSAIS

Adieu Québec, Bruneau André
Baie d'Hudson, La, Newman Peter C.
Bien-pensants, Les, Berton Pierre
Bousille et les justes, Gélinas Gratien
Coffret Joey
C.P., Susan Goldenberg
Commettants de Caridad, Les, Thériault Yves
Deux Innocents en Chine Rouge, Hébert Jacques
Dome, Jim Lyon
Emprise, L', Brulotte Gaétan
IBM, Sobel Robert
Insolences du Frère Untel, Les, Untel Frère
ITT, Sobel Robert
J'parle tout seul, Coderre Emile
Lamia, Thyraud de Vosjoli P.L.
Mensonge amoureux, Le, Blondin Robert
Nadia, Aubin Benoît
Oui, Lévesque René
Premiers sur la Lune, Armstrong Neil
* **Sur les ailes du temps (Air Canada),** Smith Philip
Telle est ma position, Mulroney Brian
Terrorisme québécois, Le, Morf Gustave
* **Trois semaines dans le hall du Sénat,** Hébert Jacques
Un doux équilibre, King Annabelle
Vrai visage de Duplessis, Le, Laporte Pierre

SANTÉ ET ESTHÉTIQUE

Allergies, Les, Delorme Dr Pierre
Art de se maquiller, L', Moizé Alain
* **Bien vivre sa ménopause,** Gendron Dr Lionel
Cellulite, La, Ostiguy Dr Jean-Paul
Cellulite, La, Léonard Dr Gérard J.
Exercices pour les aînés, Godfrey Dr Charles, Feldman Michael
Face lifting par l'exercice, Le, Runge Senta Maria
Grandir en 100 exercices, Berthelet Pierre
Hystérectomie, L', Alix Suzanne
Médecine esthétique, La, Lanctot Guylaine
Obésité et cellulite, enfin la solution, Léonard Dr Gérard J.
Santé, un capital à préserver, Peeters E.G.
Travailler devant un écran, Feeley, Dr Helen
Coffret 30 jours
30 jours pour avoir de beaux cheveux, Davis Julie
30 jours pour avoir de beaux ongles, Bozic Patricia
30 jours pour avoir de beaux seins, Larkin Régina
30 jours pour avoir un beau teint Zizmor Dr Jonathan
30 jours pour cesser de fumer, Holland Gary, Weiss Herman
30 jours pour mieux organiser, Holland Gary
30 jours pour perdre son ventre (homme), Matthews Roy, Burnstein Nancy
30 jours pour redevenir un couple amoureux, Nida Patricia K., Cooney Kevin
30 jours pour un plus grand épanouissement sexuel, Schneider Alan, Laiken Deidre
* **Vos yeux,** Chartrand Marie et Lepage-Durand Micheline

SEXOLOGIE

Adolescente veut savoir, L', Gendron Lionel
Fais voir, Fleischhaner H.
Guide illustré du plaisir sexuel, Corey Dr Robert E.
Helga, Bender Erich F.
* **Ma sexualité de 0 à 6 ans,** Robert Jocelyne
* **Ma sexualité de 6 à 9 ans,** Robert Jocelyne
* **Ma sexualité de 9 à 12 ans,** Robert Jocelyne
Plaisir partagé, Le, Gary-Bishop Hélène
* **Première expérience sexuelle, La,** Gendron Lionel
* **Sexe au féminin, Le,** Kerr Carmen
* **Sexualité du jeune adolescent,** Gendron Lionel
* **Sexualité dynamique, La,** Lefort Dr Paul
* **Shiatsu et sensualité,** Rioux Yuki

SPORTS

100 trucs de billard, Morin Pierre
Le programme pour être en forme
Apprenez à patiner, Marcotte Gaston
Arc et la Chasse, L', Guardon Greg
* **Armes de chasse, Les,** Petit Martinon Charles
* **Badminton, Le,** Corbeil Jean
* **Carte et boussole,** Kjellstrom Bjorn
* **Chasse au petit gibier, La,** Paquet Yvon-Louis
Chasse et gibier du Québec, Bergeron Raymond
Chasseurs sachez chasser, Lapierre Lucie
* **Comment se sortir du trou au golf,** Brien Luc
* **Comment vivre dans la nature,** Rivière Bill
* **Corrigez vos défauts au golf,** Bergeron Yves
Curling, Le, Lukowich Ed.
Devenir gardien de but au hockey, Allaire François
Encyclopédie de la chasse au Québec, Leiffet Bernard
Entraînement, poids-haltères, L', Ryan Frank
Exercices à deux, Gregor Carol
Golf au féminin, Le, Bergeron Yves
Grand livre des sports, Le, Le groupe Diagram
Guide complet du judo, Arpin Louis
* **Guide complet du self-defense,** Arpin Louis
Guide d'achat de l'équipement de tennis, Chevalier Richard, Gilbert Yvon
Guide de l'alpinisme, Le, Cappon Massimo
Guide de survie de l'armée américaine
Guide des jeux scouts, Association des scouts
Guide du judo au sol, Arpin Louis
Guide du self-defense, Arpin Louis
Guide du trappeur, Le, Provencher Paul
Hatha yoga, Piuze Suzanne
* **J'apprends à nager,** Lacoursière Réjean
* **Jogging, Le,** Chevalier Richard
Jouez gagnant au golf, Brien Luc
Larry Robinson, le jeu défensif, Robinson Larry
Lutte olympique, La, Sauvé Marcel
* **Manuel de pilotage,** Transports Canada
* **Marathon pour tous,** Anctil Pierre
* **Médecine sportive,** Mirkin Dr Gabe
Mon coup de patin, Wild John
Musculation pour tous, Laferrière Serge
Natation de compétition, La, Lacoursière Réjean
Partons en camping, Satterfield Archie, Bauer Eddie
Partons sac au dos, Satterfield Archie, Bauer Eddie
Passes au hockey, Champleau Claude
Pêche à la mouche, La, Marleau Serge
Pêche à la mouche, Vincent Serge-J.
Pêche au Québec, La, Chamberland Michel
* **Planche à voile, La,** Maillefer Gérald
* **Programme XBX,** Aviation Royale du Canada
Provencher, le dernier coureur des bois, Provencher Paul
Racquetball, Corbeil Jean
Racquetball plus, Corbeil Jean
Raquette, La, Osgoode William
* **Rivières et lacs canotables,** Fédération québécoise du canot-camping
* **S'améliorer au tennis,** Chevalier Richard
Secrets du baseball, Les, Raymond Claude
Ski de fond, Le, Roy Benoît
* **Ski de randonnée, Le,** Corbeil Jean
Soccer, Le, Schwartz Georges
Stratégie au hockey, Meagher John W.
Surhommes du sport, Les, Desjardins Maurice
* **Taxidermie, La,** Labrie Jean
Techniques du billard, Morin Pierre
* **Technique du golf,** Brien Luc
Techniques du hockey en URSS, Dyotte Guy
* **Techniques du tennis,** Ellwanger
* **Tennis, Le,** Roch Denis
Tous les secrets de la chasse, Chamberland Michel
Vivre en forêt, Provencher Paul
Voie du guerrier, La, Di Villadorata
Volley-ball, Le, Fédération de volley-ball
Yoga des sphères, Le, Leclerq Bruno

le jour, éditeur

ANIMAUX

Guide du chat et de son maître, Laliberté Robert
Guide du chien et de son maître, Laliberté Robert
Poissons de nos eaux, Melançon Claude

ART CULINAIRE ET DIÉTÉTIQUE

Armoire aux herbes, L', Mary Jean
Breuvages pour diabétiques, Binet Suzanne
Cuisine du jour, La, Pauly Robert
Cuisine sans cholestérol, Boudreau-Pagé
Desserts pour diabétiques, Binet Suzanne
Jus de santé, Les, Brunet Jean-Marc
Mangez ce qui vous chante, Pearson Dr Leo
Mangez, réfléchissez et devenez svelte, Kothkin Leonid
Nutrition de l'athlète, Brunet Jean-Marc
Recettes Soeur Berthe — été, Sansregret soeur Berthe
Recettes Soeur Berthe — printemps, Sansregret soeur Berthe

ARTISANAT/ARTS MÉNAGERS

Diagrammes de courtepointes, Faucher Lucille
Douze cents nouveaux trucs, Grisé-Allard Jeanne
Encore des trucs, Grisé-Allard Jeanne
Mille trucs madame, Grisé-Allard Jeanne
Toujours des trucs, Grisé-Allard Jeanne

DIVERS

Administrateur de la prise de décision, Filiatreault P., Perreault, Y. G.
Administration, développement, Laflamme Marcel
Assemblées délibérantes, Béland Claude
Assoiffés du crédit, Les, Féd. des A.C.E.F.
Baie James, La, Bourassa Robert
Bien s'assurer, Boudreault Carole
Cent ans d'injustice, Hertel François
Ces mains qui vous racontent, Boucher André-Pierre
550 métiers et professions, Charneux Helmy
Coopératives d'habitation, Les, Leduc Murielle
Dangers de l'énergie nucléaire, Les, Brunet Jean-Marc
Dis papa c'est encore loin, Corpatnauy Francis
Dossier pollution, Chaput Marcel
Énergie aujourd'hui et demain, De Martigny François
Entreprise et le marketing, L', Brousseau
Forts de l'Outaouais, Les, Dunn Guillaume
Grève de l'amiante, La, Trudeau Pierre
Hiérarchie ethnique dans la grande entreprise, Rainville Jean
Impossible Québec, Brillant Jacques
Initiation au coopératisme, Béland Claude
Julius Caesar, Roux Jean-Louis
Lapokalipso, Duguay Raoul
Lune de trop, Une, Gagnon Alphonse
Manifeste de l'infonie, Duguay Raoul
Mouvement coopératif québécois, Deschêne Gaston
Obscénité et liberté, Hébert Jacques
Philosophie du pouvoir, Blais Martin
Pourquoi le bill 60, Gérin-Lajoie P.
Stratégie et organisation, Desforges Jean, Vianney C.
Trois jours en prison, Hébert Jacques
Vers un monde coopératif, Davidovic Georges
Vivre sur la terre, St-Pierre Hélène
Voyage à Terre-Neuve, De Gébineau comte

ENFANCE

Aidez votre enfant à choisir, Simon Dr Sydney B.
Deux caresses par jour, Minden Harold
Être mère, Bombeck Erma
Parents efficaces, Gordon Thomas
Parents gagnants, Nicholson Luree
Psychologie de l'adolescent, Pérusse-Cholette Françoise
1500 prénoms et significations, Grisé Allard J.

ÉSOTÉRISME

* **Astrologie et la sexualité, L',** Justason Barbara
Astrologie et vous, L', Boucher André-Pierre
* **Astrologie pratique, L',** Reinicke Wolfgang
Faire sa carte du ciel, Filbey John
Grand livre de la cartomancie, Le, Von Lentner G.
* **Grand livre des horoscopes chinois, Le,** Lau Theodora
Graphologie, La, Cobbert Anne
* **Horoscope et énergie psychique,** Hamaker-Zondag
Horoscope chinois, Del Sol Paula
Lu dans les cartes, Jones Marthy
* **Pendule et baguette,** Kirchner Georg
* **Pratique du tarot, La,** Thierens E.
Preuves de l'astrologie, Comiré André

Qui êtes-vous? L'astrologie répond, Tiphaine
Synastrie, La, Thornton Penny
Traité d'astrologie, Hirsig Huguette
Votre destin par les cartes, Dee Nerys

HISTOIRE

Administration en Nouvelle-France, L', Lanctot Gustave
Histoire de Rougemont, Bédard Suzanne
Lutte pour l'information, La, Godin Pierre
Mémoires politiques, Chaloult René
Rébellion de 1837, Saint-Eustache, Globensky Maximilien
Relations des Jésuites T.2
Relations des Jésuites T.3
Relations des Jésuites T.4
Relations des Jésuites T.5

JEUX/DIVERTISSEMENTS

Backgammon, Lesage Denis

LINGUISTIQUE

Des mots et des phrases, T. 1, Dagenais Gérard
Des mots et des phrases, T. 2, Dagenais Gérard
Joual de Troie, Marcel Jean

NOTRE TRADITION

Ah mes aïeux, Hébert Jacques
Lettre à un Français qui veut émigrer au Québec, Dubuc Carl

OUVRAGES DE RÉFÉRENCE

Petit répertoire des excuses, Le, Charbonneau Christine et Caron Nelson
Règles d'or de la vente, Les, Kahn George N.

PSYCHOLOGIE

* **Adieu,** Halpern Dr Howard
Adieu Tarzan, Frank Helen
* **Agressivité créatrice,** Bach Dr George
Aimer, c'est choisir d'être heureux, Kaufman Barry Neil
* **Aimer son prochain comme soi-même,** Murphy Joseph
* **Anti-stress, L',** Eylat Odette
Arrête! tu m'exaspères, Bach Dr George
Art d'engager la conversation et de se faire des amis, L', Grabor Don
* **Art de convaincre, L',** Ryborz Heinz
* **Art d'être égoïste, L',** Kirschner Joseph
* **Au centre de soi,** Gendlin Dr Eugène
* **Auto-hypnose, L',** Le Cron M. Leslie
Autre femme, L', Sevigny Hélène
Bains Flottants, Les, Hutchison Michael
* **Bien dans sa peau grâce à la technique Alexander,** Stransky Judith
Ces vérités vont changer votre vie, Murphy Joseph
Chemin infaillible du succès, Le, Stone W. Clément
Clefs de la confiance, Les, Gibb Dr Jack
Comment aimer vivre seul, Shanon Lynn
* **Comment devenir des parents doués,** Lewis David
* **Comment dominer et influencer les autres,** Gabriel H.W.
Comment s'arrêter de fumer, McFarland J. Wayne
* **Comment vaincre la timidité en amour,** Weber Éric
Contacts en or avec votre clientèle, Sapin Gold Carol
* **Contrôle de soi par la relaxation,** Marcotte Claude
Couple homosexuel, Le, McWhirter David P., Mattison Andres M.
* **Devenir autonome,** St-Armand Yves
* **Dire oui à l'amour,** Buscaglia Léo
* **Ennemis intimes,** Bach Dr George
États d'esprit, Glasser Dr William
* **Être efficace,** Hanot Marc
Être homme, Goldberg Dr Herb
Famille moderne et son avenir, La Richard Lyn
Gagner le match, Gallwey Timothy

Gestalt, La, Polster Erving
Guide du succès, Le, Hopkins Tom
L'Harmonie, une poursuite du succès, Vincent Raymond
* **Homme au dessert, Un,** Friedman Sonya
Homme en devenir, L', Houston Jean
* **Homme nouveau, L', Bodymind,** Dychtwald Ken
Influence de la couleur, L', Wood Betty
* **Jouer le tout pour le tout,** Frederick Carl
Maigrir sans obsession, Orbach Susie
Maîtriser la douleur, Bogin Meg
Maîtriser son destin, Kirschner Joseph
Manifester son affection, Bach Dr George
* **Mémoire, La,** Loftus Elizabeth
* **Mémoire à tout âge, La,** Dereskey Ladislaus
* **Mère et fille,** Horwick Kathleen
* **Miracle de votre esprit,** Murphy Joseph
* **Négocier entre vaincre et convaincre,** Warschaw Dr Tessa
Nouvelles Relations entre hommes et femmes, Goldberg Herb
* **On n'a rien pour rien,** Vincent Raymond
* **Oracle de votre subconscient,** Murphy Joseph
Parapsychologie, La, Ryzl Milan
* **Parlez pour qu'on vous écoute,** Brien Micheline
* **Partenaires,** Bach Dr George
* **Pensée constructive et bon sens,** Vincent Dr Raymond
Personnalité, La, Buscaglia Léo
Personne n'est parfait, Weisinger Dr H.
Pourquoi ne pleures-tu pas?, Yahraes Herbert, McKnew Donald H. Jr., Cytryn Leon
Pouvoir de votre cerveau, Le, Brown Barbara
Prospérité, La, Roy Maurice
* **Psy-jeux,** Masters Robert
* **Puissance de votre subconscient, La,** Murphy Dr Joseph
Reconquête de soi, La, Paupst Dr James C.
* **Réfléchissez et devenez riche,** Hill Napoléon
* **Réussir,** Hanot Marc
Rythmes de votre corps, Les, Weston Lee
S'aimer ou le défi des relations humaines, Buscaglia Léo
Se vider dans la vie et au travail, Pines Ayala M.
* **Secrets de la communication,** Bandler Richard
Sous le masque du succès, Harvey Joan C., Katz Cynthia
* **Succès par la pensée constructive, Le,** Hill Napoléon
Technostress, Brod Craig
* **Thérapies au féminin, Les,** Brunet Dominique
Tout ce qu'il y a de mieux, Vincent Raymond
Triomphez de vous-même et des autres, Murphy Dr Joseph
Univers de mon subsconscient, L', Dr Ray Vincent
Vaincre la dépression par la volonté et l'action, Marcotte Claude
Vers le succès, Kassoria Dr Irène C.
* **Vieillir en beauté,** Oberleder Muriel
Vivre avec les imperfections de l'autre, Dr Janda Louis H.
* **Vivre c'est vendre,** Chaput Jean-Marc
* **Vivre heureux avec le strict nécessaire,** Kirschner Josef
Votre perception extra-sensorielle, Milan Dr Ryzl

ROMANS/ESSAIS

A la mort de mes 20 ans, Gagnon P.O.
Affrontement, L', Lamoureux Henri
Bois brûlé, Roux Jean-Louis
100 000e exemplaire, Le, Dufresne Jacques
C't'a ton tour Laura Cadieux, Tremblay Michel
Cité dans l'oeuf, La, Tremblay Michel
Coeur de la baleine bleue, Poulin Jacques
Coffret petit jour, Martucci Abbé Jean
Colin-Maillard, Hémon Louis
Contes pour buveurs attardés, Tremblay Michel
Contes érotiques indiens, Schwart Herbert
Crise d'octobre, Pelletier Gérard
Cyrille Vaillancourt, Lamarche Jacques
Desjardins Al., Homme au service, Lamarche Jacques
De Z à A, Losique Serge
Deux Millième étage, Le, Carrier Roch
D'Iberville, Pellerin Jean
Dragon d'eau, Le, Holland R.F.
Équilibre instable, L', Deniset Louis
Éternellement vôtre, Péloquin Claude
Femme d'aujourd'hui, La, Landsberg Michele
Femmes et politique, Cohen Yolande
Filles de joie et filles du roi, Lanctot Gustave
Floralie où es-tu, Carrier Roch
Fou, Le, Châtillon Pierre
Français langue du Québec, Le, Laurin Camille
Hommes forts du Québec, Weider Ben
Il est par là le soleil, Carrier Roch
J'ai le goût de vivre, Delisle Isabelle
J'avais oublié que l'amour, Doré-Joyal Yves
Jean-Paul ou les hasards de la vie, Bellier Marcel
Johnny Bungalow, Villeneuve Paul
Jolis Deuils, Carrier Roch
Lettres d'amour, Champagne Maurice
Louis Riel patriote, Bowsfield Hartwell
Louis Riel un homme à pendre, Osier E.B.
Ma chienne de vie, Labrosse Jean-Guy
Marche du bonheur, La, Gilbert Normand
Mémoires d'un Esquimau, Metayer Maurice
Mon cheval pour un royaume, Poulin J.
Neige et le feu, La, Baillargeon Pierre
N'Tsuk, Thériault Yves
Opération Orchidée, Villon Christiane
Orphelin esclave de notre monde, Labrosse Jean
Oslovik fait la bombe, Oslovik
Parlez-moi d'humour, Hudon Normand
Scandale est nécessaire, Le, Baillargeon Pierre
Vivre en amour, Delisle Lapierre

SANTÉ

Alcool et la nutrition, L', Brunet Jean-Marc
Bruit et la santé, Le, Brunet Jean-Marc
Chaleur peut vous guérir, La, Brunet Jean-Marc
Échec au vieillissement prématuré, Blais J.
Greffe des cheveux vivants, Guy Dr
Guérir votre foie, Jean-Marc Brunet
Information santé, Brunet Jean-Marc
Magie en médecine, Sylva Raymond
Maigrir naturellement, Lauzon Jean-Luc
Mort lente par le sucre, Duruisseau Jean-Paul
40 ans, âge d'or, Taylor Eric
Recettes naturistes pour arthritiques et rhumatisants, Cuillerier Luc
Santé de l'arthritique et du rhumatisants, Labelle Yvan
* **Tao de longue dvie, Le,** Soo Chee
Vaincre l'insomnie, Filion Michel, Boisvert Jean-Marie, Melanson Danielle
Vos aliments sont empoisonnés, Leduc Paul

SEXOLOGIE

* **Aimer les hommes pour toutes sortes de bonnes raisons,** Nir Dr Yehuda
* **Apprentissage sexuel au féminin, L',** Kassoria Irene
* **Comment faire l'amour à un homme,** Penney Alexandra
* **Comment faire l'amour ensemble,** Penney Alexandra
* **Comment séduire les filles,** Weber Éric
Dépression nerveuse et le corps, La, Lowen Dr Alexander
Drogues, Les, Boutot Bruno
* **Femme célibataire et la sexualité, La,** Robert M.
* **Jeux de nuit,** Bruchez Chantal
Magie du sexe, La, Penney Alexandra
* **Massage en profondeur, Le,** Bélair Michel
Massage pour tous, Le, Morand Gilles
Première fois, La, L'Heureux Christine
Rapport sur l'amour et la sexualité, Brecher Edward
Sexualité expliquée aux adolescents, La, Boudreau Yves
Sexualité expliquée aux enfants, La, Cholette Pérusse F.

SPORTS

Baseball-Montréal, Leblanc Bertrand
Chasse au Québec, Deyglun Serge
Chasse et gibier du Québec, Guardon Greg
Exercice physique pour tous, Bohemier Guy
Grande forme, Baer Brigitte
Guide des pistes cyclables, Guy Côté
Guide des rivières du Québec, Fédération canot-kayac
Lecture des cartes, Godin Serge
Offensive rouge, L',Boulonne Gérard
Pêche et coopération au Québec, Larocque Paul
Pêche sportive au Québec, Deyglun Serge
Raquette, La, Lortie Gérard
Santé par le yoga, Piuze Suzanne
Saumon, Le, Dubé Jean-Paul
Ski nordique de randonnée, Brady Michael
Technique canadienne de ski, O'Connor Lorne
Truite et la pêche à la mouche, La, Ruel Jeannot
Voile, un jeu d'enfants, La, Brunet Mario

Quinze

ROMANS/ESSAIS/THÉÂTRE

Andersen Marguerite,
De mémoire de femme
Aquin Hubert,
Blocs erratiques
Archambault Gilles,
La fleur aux dents
Les pins parasols
Plaisirs de la mélancolie
Atwood Margaret,
Les danseuses et autres nouvelles
La femme comestible
Marquée au corps
Audet Noël,
Ah, l'amour l'amour
Baillie Robert,
La couvade
Des filles de beauté
Barcelo François,
Agénor, Agénor, Agénor et Agénor
Beaudin Beaupré Aline,
L'aventure de Blanche Morti
Beaudry Marguerite,
Tout un été l'hiver
Beaulieu Germaine,
Sortie d'elle(s) mutante
Beaulieu Michel,
Je tourne en rond mais c'est autour de toi
La représentation
Sylvie Stone
Bilodeau Camille,
Une ombre derrière le coeur
Blais Marie-Claire,
L'océan suivi de Murmures
Une liaison parisienne
Bosco Monique,
Charles Lévy M.S.
Schabbat
Bouchard Claude,
La mort après la mort
Brodeur Hélène,
Entre l'aube et le jour
Brossard Nicole,
Amantes
French Kiss
Sold Out
Un livre
Brouillet Chrystine,
Chère voisine
Coup de foudre
Callaghan Barry,
Les livres de Hogg
Cayla Henri,
Le pan-cul
Dahan Andrée,
Le printemps peut attendre
De Lamirande Claire,
Le grand élixir
Dubé Danielle,
Les olives noires
Dessureault Guy,
La maîtresse d'école
Dropaôtt Papartchou,
Salut bonhomme
Doerkson Margaret,
Jazzy
Dubé Marcel,
Un simple soldat
Dussault Jean,
Le corps vêtu de mots
Essai sur l'hindouisme
L'orbe du désir
Pour une civilisation du plaisir
Engel Marian,
L'ours
Fontaine Rachel,
Black Magic
Forest Jean,
L'aube de Suse
Le mur de Berlin P.Q.
Nourrice!... Nourrice!...
Garneau Jacques,
Difficiles lettres d'amour
Gélinas Gratien,
Bousille et les justes
Fridolinades, T.1 (1945-1946)
Fridolinades, T.2 (1943-1944)
Fridolinades, T.3 (1941-1942)
Ti-Coq
Gendron Marc,
Jérémie ou le Bal des pupilles
Gevry Gérard,
L'homme sous vos pieds
L'été sans retour
Godbout Jacques,
Le réformiste
Harel Jean-Pierre,
Silences à voix haute
Hébert François,
Holyoke
Le rendez-vous
Hébert Louis-Philippe,
La manufacture de machines
Manuscrit trouvé dans une valise
Hogue Jacqueline,
Aube
Huot Cécile,
Entretiens avec Omer Létourneau
Jasmin Claude,
Et puis tout est silence
Laberge Albert,
La scouine
Lafrenière Joseph,
Carolie printemps
L'après-guerre de l'amour

Lalonde Robert,
La belle épouvante
Lamarche Claude,
Confessions d'un enfant d'un demi-siècle
Je me veux
Lapierre René,
Hubert Aquin
Larche Marcel,
So Uk
Larose Jean,
Le mythe de Nelligan
Latour Chrystine,
La dernière chaîne
Le mauvais frère
Le triangle brisé
Tout le portrait de sa mère
Lavigne Nicole,
Le grand rêve de madame Wagner
Lavoie Gaëtan,
Le mensonge de Maillard
Leblanc Louise,
Pop Corn
37 1/2AA
Marchessault Jovette,
La mère des herbes
Marcotte Gilles,
La littérature et le reste
Marteau Robert,
Entre temps
Martel Émile,
Les gants jetés
Monette Madeleine,
Le double suspect
Petites violences
Monfils Nadine,
Laura Colombe, contes
La velue
Ouellette Fernand,
La mort vive
Tu regardais intensément Geneviève
Paquin Carole,
Une esclave bien payée
Paré Paul,
L'improbable autopsie
Pavel Thomas,
Le miroir persan
Poupart Jean-Marie,
Bourru mouillé
Robert Suzanne,
Les trois soeurs de personne
Vulpera
Robertson Heat,
Beauté tragique
Ross Rolande,
Le long des paupières brunes
Roy Gabrielle,
Fragiles lumières de la terre
Saint-Georges Gérard,
1, place du Québec Parix VIe
Sansfaçon Jean-Robert,
Loft Story
Saurel Pierre,
IXE-13
Savoie Roger,
Le philosophe chat
Svirsky Grigori,
Tragédie polaire, nouvelles
Szucsany Désirée,
La passe
Thériault Yves,
Aaron
Agaguk
Le dompteur d'ours
La fille laide
Les vendeurs du temple
Turgeon Pierre,
Faire sa mort comme faire l'amour
La première personne
Prochainement sur cet écran
Un, deux, trois
Trudel Sylvain,
Le souffle de l'Harmattan
Vigneault Réjean,
Baby-boomers

COLLECTIFS DE NOUVELLES

Fuites et poursuites
Dix contes et nouvelles fantastiques
Dix nouvelles humoristiques
Dix nouvelles de science-fiction québécoise
Aimer
Crever l'écran

LIVRES DE POCHE 10/10

Aquin Hubert,
Blocs erratiques
Brouillet Chrystine,
Chère voisine
Dubé Marcel,
Un simple soldat
Gélinas Gratien,
Bousille et les justes
Ti-Coq
Harvey Jean-Charles,
Les demi-civilisés
Laberge Albert,
La scouine
Thériault Yves,
Aaron
Agaguk
Cul-de-sac
La fille laide
Le dernier havre
Le temps du carcajou
Tayaout
Turgeon Pierre,
Faire sa mort comme faire l'amour
La première personne

NOTRE TRADITION

Aucoin Gérard,
L'oiseau de la vérité
Bergeron Bertrand,
Les barbes-bleues
Deschênes Donald,
C'était la plus jolie des filles
Desjardins Philémon et Gilles Lamontagne,
Le corbeau du mont de la Jeunesse
Dupont Jean-Claude,
Contes de bûcherons
Gauthier Chassé Hélène,
À diable-vent
Laforte Conrad,
Menteries drôles et merveilleuses
Légaré Clément,
La bête à sept têtes
Pierre La Fève

DIVERS

A.S.D.E.Q.,
Québec et ses partenaires
Qui décide au Québec?
Bailey Arthur,
Pour une économie du bon sens
Bergeron Gérard,
Indépendance oui mais
Bowering George,
En eaux troubles
Boissonnault Pierre,
L'hybride abattu
Collectif Clio,
L'histoire des femmes au Québec
Clavel Maurice,
Dieu est Dieu nom de Dieu
Centre des dirigeants d'entreprise,
Relations du travail
Creighton Donald,
Canada — Les débuts héroiques
De Lamirande Claire,
Papineau
Dupont Pierre,
15 novembre 76
Dupont Pierre et Gisèle Tremblay,
Les syndicats en crise
Fontaine Mario
Tout sur les p'tits journaux z'artistiques
Gagnon G., A. Sicotte et G. Bourrassa,
Tant que le monde s'ouvrira
Gamma groupe,
La société de conservation
Garfinkel Bernie,
Liv Ullmann Ingmar Bergman
Genuist Paul,
La faillite du Canada anglais
Haley Louise,
Le ciel de mon pays, T.1
Le ciel de mon pays, T.2
Harbron John D.,
Le Québec sans le Canada
Hébert Jacques et Maurice F. Strong,
Le grand branle-bas

Matte René,
Nouveau Canada à notre mesure
Monnet François-Marie,
Le défi québécois
Mosher Terry-Aislin,
L'humour d'Aislin
Pichette Jean,
Guide raisonné des jurons
Powell Robert,
L'esprit libre
Roy Jean,
Montréal ville d'avenir
Sanger Clyde,
Sauver le monde
Schirm François,
Personne ne voudra savoir
Therrien Paul,
Les mémoires de J.E. Bernier

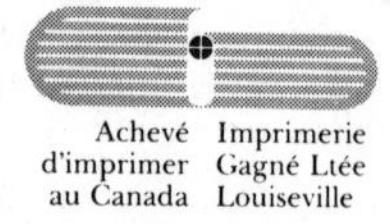

Achevé d'imprimer au Canada
Imprimerie Gagné Ltée Louiseville